U0788997

光緒庚寅秋
九月杭州許
氏榆園校刊

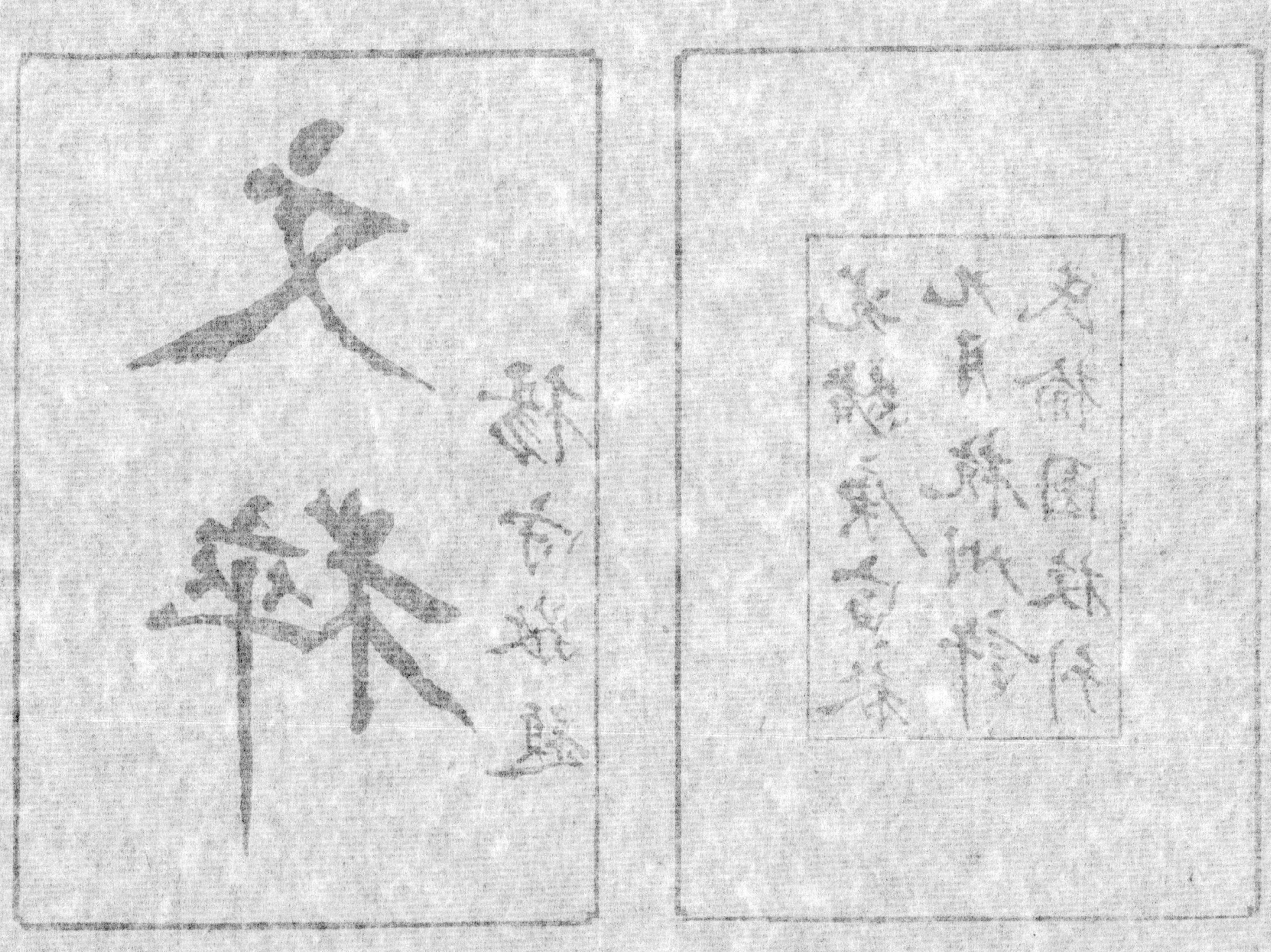
文萃
楊守敬題
文奇圖校刊
九月龍江精
光緒戊舍本

文粹補遺卷弟二十

吳江 郭麐

書二 總十四首 牋啓附

與睦州獨孤使君論朱利見書 李觀

觀絜身復闕立行師古臨事不惑見危必進秉此數節時人罕知伏惟良寶匿瑕明鑑含垢暫留頃刻少納芻蕘遂厥愚懇死而無悔竊見前此邑丞朱利見一室窮病十年非辜形神沮弱容貌衰颯若遺憂能傷性此人殆不久生孤禽鷇子相向嗚咽眢井壞竈共之淒涼觀雖非比齒稍與同道往往目覩感之酸然常恨莫能爲計無所施力使有轂帛當能賑之此生亦人倫之落落士林之楚楚代習禮樂倘傳衣纓乃祖乃父亦有拾青拖紫三徵五辟者也生家亡早孤年壯方仕所共交結亦皆名流微班不達直道來累人不良者諒誰有心觀與此生非有半面故素一夕優狎非有斗筲之惠杯酌之好但私心助痛借口爲言昔荆軻徇燕丹之急

聶政答嚴遂之顧‖載籍不朽以爲美談且數子者良有由緣今之所論有異於此況觀輒以翩翩賤質曾爲使君翦拂瑱瑱薄伎復忝使君盼睞寄家樂土日聞盛事竊見信有所未洽恩有所未周安敢坐同碌碌不以陳述伏惟使君大其量深其懷使儒衣之士復罄心腹幸甚幸甚觀早窺墳典見古賢良居五等之位設六條之政所以察刑獄詢諍訟褒善懲惡恤勞勸分是以名彰王府勳潤史筆豈可備員已矣尸祿悠哉故漢宣帝云與我共理者其惟良二千石且自使君下車數載田疇始闢桑柘初拱人識廉恥邑無逋亡當朝談其美列岳讓其最雖文翁化蜀伯道理吳二侯既殄惡爲絕倒獨有南冠朱利見氣衝牛斗閒使君嚴如雷電慈如太陽何不修愼終之德解懸絕之命使仲由之諾不墜長孺之灰更然則流芳一時垂範千載且此人窮竄於原婁污辱於韓范悽惶於蔡澤憔悴於屈平整冠而綏斷斂衽而肘露猶矻矻耽學依依固窮常戴使君殊造對孤枕流涕日者有故壽昌沈尉周

行之末識量非常知事有廢興人有迍泰承使君咳唾拯此人溝壑朱生不幸沈子云亡顧茲塵昧可爲悲想夫處大官者威貴能斷權尚從宜綸釣淹滯箠埽讒慝卽言者得盡意疑者獲自明使君垂形襜佩朱紱文夫之雄也凡所措捨豈不易哉朱利見餘負亦可以爲力敢望周旋不棄特達庇之是所望也頃聞欽州長史羅士詹亦朱利見同類當時刺史劉公獨降大惠羅士詹不盈一稔旋蹥西歸利見當時幽縶曾不側息莫非羅生與倜儻之士會朱生受肅殺之氣偏嗟夫三尺之童子爲之恨恨且宇內所注渝濫官其中有附跡權門處陰勢路則官遣得雪祿都免收有損朋黨之私挾貞介之操則繫銅至弊名器被誣豈不爲至主上無及溜之臣羣小得鼓刀自割也觀士梗微物竊所不幸英雄之人曷以爲意曩聞孔璋薦表代李北海死曠古之後先王所嘉觀誠駑怯恆羨高躅執事之議欲將如何使君不疾爾臧否則朱生索於枯魚之肆矣嘗見古人持危救傾卒克有益使君豈不知此子不

爲食駿之士盜裘之夫人不易知知人則哲伏惟審念之然此人年五十鬱有詞藻義必致命性頗輕財乃俠少之流也居官直而簡與友信而敬乃百古人之次也蕭蕭健筆喋喋利觜環坐之先也凡今之人惡直醜正入門自媚邪道苟容故有貝錦首章青蠅獨弔觀雖輒舒紙染翰輕陳肺肝無任情波不敢闕字一諛羈屑之士進趣益難書發之日出柴扉東面再拜傾耳聽音倍深兢戰

與張宇侍御書

觀受性不敏言事務直侍御幕府後選屬城具瞻不腆之書深冀開覽觀年十有八再忝鄉薦身未入洛家猶寄吳心惟使氣性不偶合仗前輩奇節振窮居清操天下之事能傾腹心不但以董生下帷蘇子刺股而已觀於還淯遁跡向歷數歲蓬戶卻埽侍親之側其志未果屈躬增修竊見有被注渝濫官朱利見前任此邑丞腐儒孤官纔受三命無賴令史丨削除名銜裂其冠冕奪其祿利亡家既久求食無所危於累卵急於倒懸如何聖朝有厥濫罰每一念此悲涕交注觀比有一書上此州獨孤使君先論朱利見續以古今事爾時獨孤公尺書見招知已相遇緩躡珠履借升蘭堂飽之以嘉殽醉之以芳醑特賞才調且憐義聲仍謂觀曰見足下高作奇之又奇良深覥容敢不承命其所上獨孤公書兼錄呈上惟少披覩明不虛耳頃者韓相國臨十數州殺人不問罪自用若無上晝聚寃氣夜嘑枉魂人人畏威莫敢諷議今尙書領藩翰之任抱澄清之志視民如子龔上若父寄公耳目固宜竭誠伏見太陽炎赫砂礫燋鑠旱魃作厲農夫憂饑直爲囚繫無辜之所致也雖欲禱桑林焚巫尪亦將奚及不如疏決滯獄速宥疑罪則歲稔國富不期而至觀所說是方伯政本非豎儒之譚執事之人用收采否如理以爲當言之可行請馳一介之使問三徑之客卽荷衣蕙帶以趨下風必謂狂簡終不惠顧則退卧岩藪俟有知已翹足仰望以聽指南

報弟兌書

六年春我不利小宗伯以初誓心不徒還乃於京師窮居讀書著文無闕日時是年冬復不利見小宗伯嗚呼天難諶命難言聖人且猶盤桓我安得如料而決志哉但堅節不去躁機不求兢兢而強勉勉而爲耳於時顧逆旅而無聊圖倏時而尙遐發能遷之慮緘莫知之嗟乃以其明年司分之月乘羸驢出長安西遊一二諸侯求實於囊往復千里投身甚難殊不知西陲數州界在虜關土塞門民獷桀戰陋儒我見其將遺我緩胡我見其士賦我從軍向之謀暨感激心卒無所開祇忽一念我家如在長安或遇適戍而宿隨登障而望有東方之人老在塞下者爲我言用兵之勤及五十年每歲孟秋邊風便寒達於堅冰武夫操戈儼不得煦胡兵類戮寇罔於常方言會候人舉烽我茫然謂戎來遂夜馳歸長安窮處蕭條猶初乃開而居乃出而書上不敢偶下不敢專鄙苟得之名謝姑息之交愚與介并直與諂違是用人不合余余不合人故身有負俗之譏文多自我之非然斯者略不損明其猶荆民不譽

宋玉臧倉之疑孟軻及我而三奚足屑哉然特苦旦暮之供出處之虞也而幸有一僕賃之童純義而誠服事祇勤備蓄以給余爲隸以奉余久而不求直殆而不施勞盤飧之廉汗馬之庸不能過焉古者孔子門人皆曰上賢及在阨窮有慍見者吾老君亦有從者徐甲老君去官甲亦求去夫孔老之道於我也則小大較然其門人從者之操則何遠斯童哉吁我嘗獨歌而悲客有造曰子之窮達在時與人我曰不在時乃在人不在人乃在斯童何者仲尼適周魯君乃與一乘車兩馬一豎子自周而還其道益明則聖人經爲亦用其資獨作恆人乎今我所以能於京師保窮居讀書著文無廢日時者乃斯童之力也非我之能也非親交骨肉之力也成我洪名階我青雲有日矣汝知之乎汝我季也我空言哉吾達養以來不忘歸歸而無名爲親之羞困而行之窮苦日尋俛而自安窮則可也流親之孩歸不可也念字闕一二途日夜腐心渾元循環三歲一朝油然而思眾恨長短居人遊人相屬之憂盜同時哉行至

八月天地淒然葉下西郊我在空房晨起吟咏閒乎無人夜卧不寐寒漏自長意可覆也雖可縷陳我書不稀汝書亦新異日兩至同慰一身豈不旨哉年不甚幼近學何書擬舉明經爲復行文明經世傳不可墮也文貴天成不可彊高也二事並良苟一可立汝擇處焉無乃不修繫書黃耳依依有遺千萬孝弟其兄云云

與柳子厚書　劉禹錫

開發書得箏郭師墓誌一篇以爲其工獨得於天姿使木聲絲聲均其所自出抑折愉繹學者無能如繁休伯之言薛訪車子不能曲盡如此能令鄙夫冲然南望如聞善音如見其師尋文寤事神驚心得倘佯伊鬱久而不能平嗟夫郭師與不可傳者死矣弦張柱差枵然貌存中有至音含糊弗聞噫人亡而器存布方冊者是已予之伊鬱也豈獨爲郭師發耶想足下因僕書重有慨耳不宣

禹錫白

答柳子厚書

禹錫白零陵守以函置足下書爰來屑末三幅小章書僅千言申申亹亹茂勉甚悉相思之苦懷膠結贅聚至是泮然以銷所不如晤言者亡幾書竟獲新文二篇且戲予曰將子爲巨衡以揣其鈞石銖黍予吟而繹之顧其詞甚約而味淵然以長氣爲幹文爲支跨躒古今鼓行乘空附離不以鑿枘咀嚼不有文字端而曼苦而腴佶然以生癯然以清予之衡誠懸於心其揣也如是子之戲予果何如哉夫矢發乎羿彀而中微存乎它人子無曰必我之師而後我衡苟然則譽羿者皆羿也可乎索居三歲俚言蕪而不治臨書軋軋不具禹錫白

從樊漢南爲鹿門處士求修墓牋　符載

廬山山人符載頓首頓首死罪夫仁義揚顯朗德之充也惠慈被幽昧仁之原也竊見故鹿門孟處士浩然納靈含粹伏儒傑立文寶貫重價吞連城一旦殞落門肖陵蔑吁嗟邱隴積陷荒圃形或異斧高不及隱永懷若人行路慨然前日辨覺佛寺峴首亭恭覩

明公垂意拳拳將墓文表隨封起窀穸閣境搢紳瞥聞嘉聲風動興感偕至踊躍然垂休務當時從善貴流今閣下外迫軍旅程使之劇內勞賓客俯仰之勤牽耗星歲未遑指顧嘗恐旦夕飛牋廊廟纏緜深旨鬱紆不寫則處士之風流精爽沈翳厚地矣或好事者乘而射之孤負夙志矣伏惟閣下醇仁盛德覆乎草木除惡彰善發於鄉黨剖省庶務凝神晷刻盼睞官屬望則疑首尾實足以副上林之翹翹慰羈魂之冥冥事關教化不主名譽伏惟慮之始終之幸甚幸甚

上河東公啟　李商隱

商隱啟兩日前於張評事處伏覩手筆兼評事傳指意於樂籍中賜一人以備紉補某悼傷以來光陰未幾梧桐半死方有述哀靈光獨存且兼多病眷言息肩不暇提攜或小於叔夜之男或幼於伯喈之女檢庾信荀娘之啟常有酸辛詠陶潛通子之詩每嗟漂泊所賴因依德宇馳驟府庭方思效命旌旄不敢載懷鄉土錦茵

象榻石館金臺入則陪奉光塵出則揣摩鉛鈍兼之早歲志在元門及到此都更敦夙契自安衰薄微得端倪至於南國妖姬叢臺妙伎雖有涉於篇什實不接於風流況張懿仙本是無雙曾來獨立既從上將又託英寮汲縣勒銘方依崔瑗漢庭曳履猶憶鄭崇寧復河裏飛星雲間墮月窺西家之宋玉恨東舍之王昌誠出恩私非所宜稱伏惟克從至願賜寢前言使國人盡保展禽酒肆不疑阮籍則恩優之理何以加焉干冒尊嚴伏用惶灼謹啟

上河東公第二啟

商隱啟某聞周朝貝葉列妙引於王褒梁日枳園灑芳詞於沈約必資乎鴻筆麗藻刻乎貞金翠珉然後可以充足人天發揮龍象苟其曖昧卽匪莊嚴爰託亭塗夙聞妙喻雖從幕府常在道場猶恨出俗情微破邪功少二百日斷酒有謝蕭綱十一年長齋多慚王奐仰戀東閣未歸西林近者財俸有餘津梁是念適依勝絕微復經營伏以妙法蓮華經者諸經中王最尊最勝始自童幼常所

護持或公幹漳濱有時疲薾或謝安海上此日風波恍惚之間感驗非少今年于此州長平山慧義精舍經藏院特創石壁五間金字勸上件經七卷既成勝果思訖妙音伏惟尚書有夫子之文章備如來之行願不逢惠遠已飛廬岳之書未見簡棲便制頭陀之頌是故石鐫三匝仰希一言庶使鷲殿增輝龍宮發色流傳沙界震動風輪報恩于蓮目果膺奪美于江豪蔡絹伏希道念特降神鋒瞻望旌幢攜持碑斧曝身晞髮以候還辭無任懇迫之至謹啟

上裴相公啟　溫庭筠

某啟聞效珍者先詣隋和飼養者必求倉扁苟無懸解難語奇功至於有道之年猶抱無辜之恨斯則沒爲癘氣來撓至平數作寃聲將垂不極此亦王公大人之所慷慨義夫志士之所歔欷某性實顓蒙器惟頑固纂修祖業遠愧孔琳承襲門風近慚張岱自頃爰田錫寵鏤鼎傳芳占數遼西橫經稷下因得仰窮師法竊弄篇題思欲紐儒門之絕維恢常典之休烈俄屬羈孤牽軫藜藿難虞

處默無衾徒然夜歎修齡絕米安事晨炊既而羈齒侯門旅遊淮上投書自達懷刺求知豈期杜摯相傾臧倉見嫉守土者以忘情積惡當權者以承意中傷直視孤危橫相陵阻絕飛馳之路塞飲啄之塗射血有寃叫天無路此乃通人見愍多士具聞徒共興嗟靡能昭雪竊見元宗皇帝初融景命遽惻宸襟收拭瑕疵申明枉結劉丞相導揚優詔蘇許公潤色昌蓍五十年間風俗敦厚逮及翔泳未安其所雨暘不得其和匹夫匹婦之吁嗟一聚一鄉之幽鬱欲期昭泰必仰陶鈞某進抱疑危退無依據暗處囚拘之列不沾渙汗之私與煨燼而俱捐比昆蟲而絕望則是康莊並軌偏哭於窮途日月懸空獨鄣於豐蔀伏以相公致堯業裕佐禹功高百姓咸被其仁一物不違於性倘或在途興歎解彼右驂彈劍有聞遷於代舍瞻風自卜與古爲徒此道不誣貞明未遠謹以文賦詩各一卷率以抱獻縑緗儉陋造寫繁蕪干冒尊高無任惶灼

江南論鄉飲酒禮書　劉蛻

昨日送貢士堂上得觀大禮之器見籩豆破折尊盂穿漏生徒倦怠不稱其服賓主向背不習其容嗚呼天下所以知尊君敬長小所以事大者抑非其道乎天下之用其道不過於一日尚猶偷惰如此況天下尊君敬長能終日者乎是以朝廷時誅不順鄰里日起紛爭固當然也夫布衣匹夫始則用其道自達故化耕稼而王公侯化陶漁爲公卿其變化不測若此然而一旦居上位既不預興俯拜揖之事尚不能素嚴有司時閱其威儀乎嗚呼則蜺謂王公大人者老衰罷固當然也然而有摯跪稽首於髠褐之前畏敬戒愼有終日不敢嗜酒殽不敢近妾婦者其于誣惑之道尚能去其情自化之術則不能一日勤其容唯王公大人無慚髠褐乎髠褐尚能自大其法王公大人反以其道信之乎即其奉髠褐能速化其耕稼陶漁者則髠褐者可以有土地而制王公大人矣是不知升乎科者不由夷狄言遷乎資者不由髠褐授昭昭然柰何哉抑不知孔子之道如商君乎以其法自敝也伏惟閣下務敕有司校

諸禮圖修其器服戒將事而隳者時訓習之毋使每歲臨事而隳其容幸甚幸甚蜺再拜

與高錫望書　孫樵

文章如面史才最難到司馬子長之地千載獨聞得揚子雲唐朝以文索士二百年間作者數十輩獨高韓吏部吏部修順宗實錄尚不能當孟堅其能與子長子雲相上下乎乃小史尚宜世嗣史法矧足下才力雄獨意語橫闊嘗序義復岡及樂武事其說要害在樵宜一二百言者足下能數十字輒盡情狀及意窮事際反若有千百言在筆下足下齒髮未及壯其所得如此則不知子長子雲當足下年齒時文章果何如也然足下所傳史法與樵所聞者異耶古史有直事俚言者有文飾者乃特紀前人一時語以爲實錄非謂俚言奇健能爲史筆精魄故其立言序事及出沒得失皆字字典要何嘗以俚言汩其間哉今世俚言文章謂得史法因牽韓吏部曰如此如此樵不知韓吏部以此欺後學耶韓吏部

亦未知史法耶又史家紀職官山川地理禮樂衣服亦宜直書一時制度使後人知某時如此某時如彼不當以禿屑淺俗别取前代名品以就簡絕又史家條序人物宜存警訓不當徒以官大寵濃講文張字故大惡大善雖賤必紀尸位浪職雖貴必黜至如司馬遷序周繆班孟堅傳蔡義向可用耶為史官者明不顧刑辟幽不愧鬼神若梗避於其間其書可燒也古者國君不得視史今朝廷以宰相監修大丈夫當一時寵遇皆欲齊政房杜蹟俗太平孰儒家擅一時胸臆皆欲各任憎愛手出白黑孰能專門立言乎樵能受惡於不隱乎古者七十子不與筆削今朝廷以史館叢文士未知唐史誠何如也樵雖承史法於師又嘗熟司馬遷揚子雲書然才韻枯梗文過乎質嘗序廬江何易于首末千言貴文則喪質近質則太禿刮垢磨痕卒不能到史獨謂足下才力天出最與史近故以樵所受於師者致足下

與王霖秀才書

太原君足下雷賦逾六千言推之大易參之元象其旨甚微其辭甚奇如觀駭濤於重溟徒知褫魄眙目莫得畔岸誠謂足下怪於文方舉降旗將大誇朋從閒且疑子雲復生無何足下繼以翼旨及雜題十七篇則與雷賦相闊數百里足下未到其壺則非樵所敢與知既入其域設不如意亦宜上下銖兩不當如此懸隔不知足下以此見嘗耶抑以背時戾衆且欲哺粕啜醨以其苟合耶何自待則淺而徇人反深鸞鳳之音必傾聽雷霆之聲必駭心龍章虎皮是何等物日月五星是何等象儲思必深摛詞必高道人之所不道到人之所不到趨怪走奇中病歸正以之明道則顯而微以之揚名則久而傳前輩作者正如是譬玉川子月蝕詩楊司城華山賦韓吏部進學解馮常侍清河壁記莫不牧地倚天句句欲活讀之如赤手捕長蛇不施控騎生馬急不得暇莫可捉搦又似遠人入太興城茫然自失詎比十家縣足未及東郭目已極西郭耶樵嘗得為文真訣於來無擇來無擇得之於皇甫持正皇甫持

正得之於韓吏部退之然樵未始與人言及文章且懼得罪於時今足下有意於此而自疑尚多其可無言乎樵再拜

貽王進士書　　司空圖

辱示製述甚非所宜敢不以所說陳於左右哉楚宋交怨而使在其間宋人有得玉於其境者遇楚使適至誇示之楚人謀沮其玉請先譽於宋國既獻宋果怒曰玉產於吾土而價張於吾仇是欺我也不果售今吾守道固窮且竊文章之譽是邪競沽虛者之所仇嫉者吾子之才固奇矣乃以所質賓於吾懷是玉者未適於市而噪者已盈於門矣必曰不投知於司空氏必曰不受知於司空氏則雖吾子之奇必足速得志於時矣舍是無他術也所貺益腆不敢發柙幸詳其意勿冒時之所忌

答賀蘭友書　　羅隱

前者吾子不以僕之暗鈍猥垂教示大相開發若非許與深至誰肯如是甚善甚善然其所道者正中僕嘗所自病者也僕少而羈窘自出山二十年所向摧沮未嘗有一得幸於人故同進者忌僕之名同志者忌僕之道無有不如吾子之所誨也然僕之所學者不徒以競科級於今之人蓋將以窺昔賢之行止望作者之堂奧期以方寸廣聖人之道可則垂於後代不可則庶幾致身於無愧之地寧復虞時人之罪僕者與夫禮貌之於人去就流俗不可以不時其進於秉筆立言扶植教化當使前無所避後無所遜豈以吾道沈浮於流俗者乎仲尼之於春秋懼之者亂臣賊子耳未聞有不亂不賊者疑仲尼於筆削之間況僕求試京師隨波而上逐隊而下亦有年矣家在江表歲一寧覲旨甘所資桂玉之困何嘗不以事力干人苟利其出處則僶俛從事亦人之常情也在不枉其道而已矣道苟不枉以之流離可乎冠衣不能移人之跡顧所履何如耳言不忠行不信謂之君子可乎言忠而行信謂之小人可乎吾子視僕復苟合於不信不忠者乎非僕之不可苟合道義之人皆不合也而受性介僻不能方圓既不與人合而又視之如

仇讎以是僕遂有狹而不容之說吾子果復發言及此是不以眾人見待也而今而後敢不安其所自然一科一級多難也有如是哉彼山也水也性之所適也而眷眷不去者以聖明之代文物之盛又安可以前所忌者移僕初心苟不得已僕亦自有所處大凡內無所疾外無所媿則在乎命也天也焉在僕與時人乎惟吾子勿憚相規之數也

文粹補遺卷弟二十

文粹補遺卷弟二十一

吳江　郭麐　纂

序一　總十三首

孔補闕集序　張說

唐會稽孔季詡字季和識眞之士也弱冠制舉授校書郎轉國子主簿年三十一卒於左補闕祖紹安中書舍人考楨絳州刺史季和清規素業有奕代之訓依仁遊藝其聖者之後永昌之始接跡書坊有廣漢陳子昂鉅鹿魏知古高陽許望信都杜澄昌樂谷倚廣陵馬懷素東萊王無競河南元希聲臨淄李伯魚譙國桓彥範僉謂季和神清韻遠析理探微衞叔寶之比也嗚呼人斯云亡世閱多故十年之外零落將盡而後來者皆首華金步鳴玉負璽丹地揮豪紫宸何嘗不拜職之日歎在劉王喬臨壇之時恨無謝谿壽者矣頃見許州之子風裁可觀潘子之門有尼夏侯之學傳建集作者五卷以示予稱從弟四人皆良器愴相如之遺草幸公業之不亡因敘曩意存之編首云爾

孟浩然集序　　韋縚

宜城王士源者藻思清遠深鑒文理常遊山水不在人間著亢倉子數篇傳之於代余久在集賢常與諸學士□此子不可得見天寶中忽獲浩然文集乃士源爲之序傳詞理卓絕吟諷忘疲書寫不一紙墨薄弱昔虞坂之上逸駕與駑駘俱疲吳竈之中孤桐與樵蘇共爨遇伯樂與伯喈遂騰聲於千古此詩若不遇王君乃十數張故紙耳然則王君之清鑒豈滅孫蔡而已哉余今繕寫增其條目復貴士源之清才敢重述於卷首謹將此本送上祕府庶久而不泯傳芳無窮

春秋統例序　　啖助

孔子修春秋意以爲夏政忠忠之敝野商人承之以敬敬之敝鬼周人承之以文文之敝僿救僿莫若忠夫文者忠之末也設教於本其敝且末設教於末敝將奈何武王周公承商之敝不得已用之周公沒莫知所以改故其敝甚於二代孔子傷之曰虞夏之道

寡怨於民商周之道不勝其敝故曰後代雖有作者虞帝不可及已蓋言唐虞之化難行於季世而夏之忠當變而致焉故春秋以權輔用以誠斷禮而以忠道原情云不拘空名不尙狷介從宜捄亂因時黜陟古語云商變夏周變商春秋變周而公羊子亦言樂道堯舜之道以擬後聖是知春秋用二帝三王法以夏爲本不壹守周典明矣又言幽厲雖衰雅未爲風逮平王之東人習餘化苟有善惡當以周法正之故斷自平王之季以隱公爲始所以拯薄勉善捄周之敝革禮之失也

國秀集序（此序原署芮挺章今從書錄解題改正）　　樓穎

昔陸平原之論文曰詩緣情而綺靡是彩色相宜煙霞交映風流婉麗之謂也仲尼定禮樂正雅頌采古詩三千餘什得三百五篇皆舞而蹈之弦而歌之亦取其順澤者也近祕書監陳公國子司業蘇公嘗從容謂芮侯曰風雅之後數千載間詞人才子禮樂大壞諷者溺于所譽志者乖其所之務以聲折爲宏壯勢奔爲清逸

此蒿視者之目聒聽者之耳可爲長太息也運屬皇家否終復泰優游闕里惟聞子夏之言惆悵河梁獨見少卿之作及源流浸廣風雲極致雖發詞遣句未協風騷而披林擷秀揭厲良多自開元以來維天寶三載譴謫蕪穢登納菁英可被管弦者都爲一集芮侯郎探書禹穴求珠赤水取太冲之清詞無嫌近溷得興公之佳句寧止擲金道苟可得不棄於厮養事非適理何貴於膏粱其有巖壑孤貞市朝大隱神珠匿耀剖巨蚌而寧周寶劍韜精望斗牛而未獲目之縑素有愧遺才尙欲巡采風謠旁求側陋而陳公已化爲異物堆案颯然無與樂成遂因絕筆今略編次見在者凡九十人詩二百二十首爲之小集成一家之言

文編序　元結

天寶十二載漫叟以進士獲薦名在禮部會有司考校舊文作文編納於有司當時叟方年少在顯名跡切恥時人諂邪以取進姦亂以致身徑欲塡陷穽於方正之路推時人於禮讓之庭不能得之故優游於林壑怏恨於當世是以所爲之文可戒可勸可安可順侍郎楊公見文編歎曰以上第汚元子耳有司得元子是賴叟少師友仲行公公聞之諭叟曰於戲吾嘗恐直道絕而不續不虞楊公於子相續如縷明年有司於都堂策問羣士叟竟在上第爾來十五年矣更經喪亂所望全活豈欲跡參戎旅苟在冠冕觸踐危機以爲榮利蓋辭謝不免未能逃命故所爲之文多退讓者多激發者多嗟恨者多傷閔者其意必欲勸之忠孝誘以仁惠急於公直守其節分如此非救時勸俗之所須者歟叟在此州今五年矣地偏事簡得以文史自娛乃次第近作合於舊編凡二百三首分爲十卷復命曰文編示門人子弟可傳之於筐篋耳叟之命稱則著於自釋云不錄時大厤二年丁未中冬也

通典序　李翰

儒家者流博而寡要勞而少功何哉其患在於習之不精知之不明入而不得其門行而不由其道何以徵之夫五經羣史之書大

不過本天地設君臣明十倫五教之義陳政刑賞罰之柄述禮樂制度之統究理亂興亡之由立邦之道盡於此矣非此典者謂之無益世教則聖人不書學者不覽懼丨冗煩而無所從也先師宣尼祖述堯舜憲章文武七十子之徒常宣明大義三代之道百代可師而諸子云云猥復制作由其門則其教已備反其道則其人可誅而學者以多閱爲廣見以異端爲博聞是非紛然塞胸滿腹鴻洞茫昧而無條貫或舉其中不知其本原其始不要其終高談有餘待問則泥雖馳驅百家日誦萬字學彌廣而志彌惑聞愈多而識愈疑此所以勤苦而難成殆非君子進德修業之意也今通典之作昭昭乎其警覺羣迷歟以爲君子致用在乎經邦經邦在乎立事立事在乎師古師古在乎隨時必參今古之宜窮終始之妙始可以度其終古可以行於今問而辨之端如貫珠舉而行之審如中鵠夫然故施於文學可爲通儒施於政事可建皇極故採五經羣史上自黄帝至於我唐天寶之末每事以類相從舉其終

始歴代沿革廢置及當時羣生論議得失靡不條載附之於事如人支脈散綴其體凡有八門勒成二百卷號曰通典非聖之書乖聖人微旨不取焉惡煩雜也事非經世緯俗程制亦所不録棄無益也若使學者得而觀之不出戶知天下未從政達人情罕更事知時變爲功易而速爲學精而要其道甚直而不徑其文甚詳而不煩推而通放而準語備而理盡例明而事中舉而措之如指諸掌不假從師聚學而區以別矣非聰明獨見之士孰能修之淮南元戎之佐曰尚書主客郎京兆杜公君卿雅有遠度志於興邦篤於好古生而知之以大厤之始實纂斯典累紀而成杜公亦自爲序引各冠篇首或前史有闕申高見發明以示勸誡用存景行近代學士多有撰集其最著者御覽藝文玉燭之類網羅古今博則博矣然率多文章之事記問之學至於刊列百度緝熙王猷至精至粹其道不雜比於通典非其倫也嗚呼今之人賤近而遺遠昧微而觀著得之者甚鮮知之者至稀可以歎息也翰與杜公數旬

探討故頗詳旨趣而爲之序

獨孤常州集序

李舟

傳曰物生而後有象象而後有滋滋而後有數數成而文見矣始自天地終於草木不能無文也而況於人乎且夫日月星辰天之文也邱陵川瀆地之文也羽毛彪炳鳥獸之文也華葉彩錯草木之文也天無文四時不行矣地無文九州不別矣鳥獸草木之無文則混然而無名而人不能用之矣人無文則禮無以辨其數樂無以成其章有國者無以行其刑政立言者無以存其勸誡文之時用大矣哉在人賢者得其大者禮樂刑政勸誡是也不肖者得其細者或附會小說以立異端或雕斲成言以裨對句或志近物而玩童心或順庸聲以諧俚耳其甚者則矯誣盛德汙衊風教爲蠱爲蠹爲妖爲孼噫文之弊有至是者可無痛乎天后朝廣漢陳子昂獨泝頽波以趣清源自茲作者稍稍而出先大夫嘗因講文謂小子曰吾友蘭陵蕭茂挺趙郡李遐叔長樂賈幼幾洎所知河

南獨孤至之皆憲章六藝能探古人述作之旨賈爲元宗巡蜀分命之詔歷歷如西漢時文若使三賢繼司王言或載史筆則典謨訓誥誓命之書可彷彿於將來矣嗚呼三公皆不處此地而運蹇多故惟獨孤至常州刺史享年亦促豈天之未欲振斯文耶小子所不能知也已矣常州諱及有遺文三百篇安定梁肅編爲上下帙分二十卷作爲後序常州愛士而肅最爲所重討論居多故其爲文之意肅能言之比葬博陵崔貽孫又爲神道碑悉載行事而痛其不登論道之位崔公剛而好直其詞不黨君子謂之知言昔班孟堅美漢得人之盛曰文章則司馬遷相如又曰劉向王褒以文章顯是則四君子者有漢之文雄歟然而遷無鄉曲之譽虧大雅明哲保身之美相如薄於貞操有滌器受金之累向無威儀遺文以繆而身幾不免褒多爲歌頌皆時議者以爲淫靡不急其他興闕焉大較詞人多陷輕躁否則懦狹迂僻於事放弛其能蹈履中道可爲物主者寡矣孰與常州發論措詞皆王霸大略孝悌之

至達於神明善與人交久而敬之當官正色不畏強禦加之以仁惠愛物吏民敬畏而文又如是乎其餘則二君既言之矣今直錄崔氏之作綴於篇末云爾

五經文字序例　　張參

易繫辭曰上古結繩以理後代聖人易之以書契百官以理萬人以察蓋取諸夬夬決也王庭孚號決之大者決以書契也逮周禮保氏掌養國子以道教之六書謂象形指事會意諧聲轉注假借六者造字之本也雖蟲篆變體古今異文離此六者則爲謬惑矣王者制天下必使車同軌書同文故教人八歲入小學文有疑者則必闕而求之春秋之末保氏教廢無所取正各遂其私故孔子曰吾猶及史之闕文也今亡矣蓋夫子少時人猶有闕疑之問後亡斯道歎其不知而作之也蕭何漢制亦有著法太史試學童諷書九千字乃得爲吏以六體試之吏人上書字或不正輒有舉劾皆正史遺文可得焯知者也劉子政父子校中祕書自史籀以下

凡十家序爲小學次於六藝之末後漢許叔重收集籀篆古文諸家之學就隸爲訓注謂之說文時蔡伯喈亦以滅學之後經義分散儒者師門各滯所習傳記交亂譌僞相蒙乃請刊定五經備體刻石立於太學之門外謂之石經學者得以取法焉遭離變難僅有存者後有呂忱又集說文之所漏略著字林五篇以補之今制國子監置書學博士立說文石經字林之學舉其文義歲登下之亦古之小學也自頃考功禮部課試貢舉務於取人之急許以所習爲通人苟趨便不求當否字失六書猶爲壹事五經本文蕩而無守矣十年夏六月有司以職事之病上言其狀詔委國子儒官勘校經本送尚書省參幸承詔旨得與二三儒者分經鉤考而共決之互發字義更相難極又以前古字少後代稍益之故經典音字多有假借（謂若借后爲後辟爲避大爲太知爲智之類經典通用）陸氏釋文自南徂北偏通衆家之學分析音訓特爲詳舉固當以此正之（唯今文尚書改就今字刪定月令依其時進本與釋文音訓頗有不同）卒以所刊書于屋壁雖未如蔡學之精密石

經之堅久慕古之士且知所歸然以經典之文六十餘萬既字帶或體（若鼏鼏同物禮經相如蔿蘧同姓春秋互出詁故同義詩題交錯之類）音非一讀（若鄉原之鄉爲嚮取材之材爲哉兩音出於一家而不決其當否）學者傳授義有所存離之若有失合之則難竝至當之餘但未發其例而已猶慮歲月滋久官曹代易儻復蕪汙失其本眞乃命孝廉生顏傳經收集疑文互體受法師儒以爲定例凡一百六十部三千二百三十五字分爲三卷說文體包古今先得六書之要（若古文作明象文作朙古文作坐篆文作亞之類古體經典通行不必改而從篆）有不備者求之字林（若祧禰逍遙之類說文漏略今得之於字林）其或古體難明眾情驚懵者則以石經之餘比例爲助（若宜變爲宜晉變爲晉之類說文宜晉人所難識則以石經遺文宜與晉代之）石經湮沒所存者寡通以經典及釋文相承隸省引而伸之不敢專也（若耇變爲壽臬變爲栗之類石經湮沒經典及釋文相承作耳）近代字樣多依四聲傳寫之後偏傍漸失今則采說文字林諸部以類相從務於易了不必舊次自非經典文義之所在雖切於時略不集錄以明爲經不爲字也其字非常體偏有所合者詳其證據各以朱字記之俾夫觀省無至多惑大厤十一年六月七日司業張參序

岑嘉州集序

杜確

自古文體變易多矣梁簡文帝及庾肩吾之屬始爲輕浮綺靡之詞名曰宮體自後沿襲務於妖豔謂之摛錦布繡焉其有敦尚風格頗存規正者不復爲當時所重諷諫比興由是廢缺物極則變理之常也聖唐受命斲雕爲樸開元之際王綱復舉淺薄之風茲焉漸革其時作者凡十數輩頗能以雅參麗以古雜今彬彬然爍爍然近建安之遺範矣南陽岑公聲稱老著公諱參代爲本州冠族曾大父文本大父長倩伯父羲皆以學術德望官至台輔早歲孤貧能自砥礪偏覽史籍尤工綴文屬辭尚清用意尚切其有所得多入佳境迴拔孤秀出於常情每一篇絕筆則人人傳寫雖閭里士庶戎狄蠻貊莫不諷誦吟習焉時議擬公於吳均何遜亦可謂精當矣天寶三載進士高第解褐右內率府兵曹參軍轉右威衛錄事參軍又遷大理評事兼監察御史充安西節度判官入爲

右補闕頻上封章指述權倖改爲起居郎尋出虢州長史又改太子中允兼殿中侍御史充關西節度判官聖上潛龍藩邸總戎陝服參佐僚史皆一時之選由是委公以書奏之任入爲祠部考功二員外郎轉虞部庫部二正郎又出爲嘉州刺史副元帥相國杜公鴻漸表公職方郎中兼侍御史列於幕府無幾使罷寓居於蜀時西川節度因亂受職本非朝旨其部統之內文武衣冠附會阿諛以求自結皆曰中原多故劒外小康可以庇躬無假向關公乃著招蜀客歸一篇申明逆順之理折挫邪倖之計有識者感歎奸謀者慚沮播德澤於梁益暢皇風於邛僰旋軫有日犯軷俟時吉往凶歸嗚呼不祿歲月逾邁殆三十年嗣子佐公復纂前緒亦以文采登名翰場有公遺文貯之篋笥以確接通家餘烈忝同聲後輩受命編次因令繕錄區分類聚勒成八卷倘後之詞人有所觀覽亦猶聆度樂者識清商之韻游名山者仰翠微之色足以瑩徹心府發揮高致焉京兆杜確序

穆公集序　　許孟容

班孟堅謂有漢文章與三代同風巨唐化成稽古斯文配炎靈之盛浸息淫靡歸於正聲由是業文之士蓄靈含粹光價時獨者往往間出吾友河南穆員字與直麟蔚鳳采自天而授誦六經得其研深閱百代得其英華屬詞匠意必本於道夫龍圖龜書三統之有述皆文之蘊也自雅頌風騷而下則又粉澤而成黼藻雕鐫而爲形象比其音而曲度之緣其情而哀樂之悠遠易直昭明典則本情性而根敎化者率漫羨魁壘繁音豔彩習怪誕而尚沈溺者也穆君泝其波流擇其宗師以爲文宣王經春秋序詩書繫易象猶日月不可及矣游夏荀孟李斯賈誼之徒是宜學者十駕不已鑽仰而憲章者也故其文融朗恢健沈深理辨墉闥四會精鋩百練結而爲峻極散而爲游衍其工也異今而從古其旨也懲惡而從善跡夫孝於其上慈於其下擇中庸而後蹈推久要而後交則向之詞藝由積衷湑耀發而爲身瑞者也顏冏黃憲仁而夭促揚

雄司馬遷才而不試穆君年逾四十用止幕畫升四賢之德器而祿壽似爲彼洪鑪埏埴眞宰不直歟爲天地無心芻狗萬化歟大凡碑誌文册銘贊記序六十五首共成十卷於先府君先夫人元堂誌見自身刑家自家刑國父父子子夫夫婦婦之道於祭顔太師張相國文見君仁臣忠捍患成功感憤激烈死輕鴻毛之道向使假其永齡登金馬石渠與獻納論思之臣發揮謨訓潤色王度則聖朝文苑頌甘泉賦羽獵卿雲褒臯羣子之列加一士也斯楊嗣仁所以賦已友之哀余所莫疑矣宋之問遺草編次授於伯兄舊御史中丞今常州刺史善知音者唯子期乎發篋開卷如升元圃將垂來代敢失其傳

兵部郎中楊君集序　　權德輿

周家忠厚文章備乎二代先師有郁郁之歎故周任史克仍叔吉甫之倫生焉漢氏剗煩苛宏利澤訓辭深厚議論宏大故賈誼揚雄司馬遷相如之才出焉唐興幾二百歲紹闡周漢之逸軌以人

文華國猶雲漢之爲章于上江漢之爲紀于下九功成焉百度貞焉王澤浹洽故斯文煥發秉筆之士皆欲泝末流而挹清源拔埃壒而棲顥氣至若詞合雅言中倫疏通而不流博富而有節潔靜夷易得其英華者其宏農楊君歟君諱凝字懋功孝弟純懿中和特立早歲違難於江湖間與伯氏嗣仁叔氏恭履修天爵振儒行東吳賢士大夫號爲三楊易象之懿文孔門之言詩皆生知之舉進士甲科賢公交辟典校祕書四遷至冠柱後惠文徵拜左史歷司封員外左司郎中不附離權右陰爲所中以其外相師律非君莫可他日計事如京師復命于梁會其帥既沒軍司馬代之詔未下兵火氣餤殺人以逞明神佑善獨脫死地中貴人持尺一詔書徵還燕居四年不交人事磅礴三古推明六義措跡愈退而厲詞愈精時恭履捐館一紀君與嗣仁倍手足之愛壬午歲嗣仁以中執法廉湘中七郡風俗君起家爲兵部郎中伯仲昌大輝華中外方將乘迅飆摩赤霄極文采之用爲太平嘉瑞協書命於謨訓薦

聲詩於郊廟命屈其才未如之何君嘗以爲尚氣者或不能精密言理者或不能彪炳鏤烝彝景鐘與緣情比興者或不能相爲用仲宣體弱公幹未遒才難而力不足從古所病故懋功於六經百氏之中如良金巧冶鍛鍊在手而又弛局防隳約束恬然而據上遊坦然而蹈中行其敘事推理抗今據古多而不煩簡而不遺彌綸條鬯無入而不自得所著文一百四十餘篇歌詩倍之皆天球大圭奇采逸響不待數珩璜珮玦之目然後知其妙噫自天寶已還操文柄而爵位不稱者德輿先大夫之執曰趙郡李公遐叔河南獨孤公至之狎主時盟爲詞林龜龍止於尚書郎二千石屬者密精醇不雜二君者雖嘗司密命裁贊書而終不越於諫曹計部亡友安定梁肅寬中平夷朗暢傑邁閒起博陵崔鵬元翰博厚周今懋功亦以中兵下大夫奄忽不淑豈造物者不與其全歟復舛錯歟此吾徒故人所以索然出涙而有百身之痛也嗣仁類其文爲二十篇緘詞甚哀猥見授簡以德輿早辱厚善忘其不能其代德家法與踐履始中終之說嗣仁刻石紀墓旣詳言矣徒采其述作大旨直書以綴于篇

魏國公貞元十道錄序

序曰自夏書禹貢周官職方漢志地理厥後史臣繼有其書國家將九夷丕冒四海梯航聲朔過前古遠甚相國魏國明誠助化育奧學窮古今百揆師長十年樞衡贊端拱無爲之風以宥天下王佐盛業論著形焉嘗以爲言區域者闊略未備或傳疑失實於是獻海內華夷圖一軸古今郡國縣道四夷述四十卷盡瀛海之地窮鞮譯之詞陳農不獲之書朱贛未條之俗貫穿切劘靡不詳究開卷盡在披圖朗然又撮其要會切於今者爲貞元十道錄四卷其首篇自貞觀初以天下諸州分隸十道隨山河江嶺控帶紆直割裂經界而爲都會在景雲爲按察在開元爲採訪在天寶以州爲郡在乾元復郡爲州六典地域之差次四方貢賦之名物廢置升降提封險易因時制度皆備於編而又考迹其疆理以正謬誤

采獲其要害而陳開置至若護單于府並馬邑以北理榆林關外宜隸河東樂安自乾元後河流改故道宜隸河南合州七郡北與隴坻南與庸蜀回遠不相應宜於武都建都府以捍邊備大凡類是者十有二條制萬方之樞鍵出千古之耳目故今之言地理者稱魏公爲公之意豈徒洽聞廣記以學名家而已哉蓋體國遠馭不出戶而知天下親百姓撫四夷員宰相之事也凡今三十一節度十一觀察與防禦經略以守臣稱使府者共五十列於首篇之末其三篇則以十道爲準縣距州州距兩都書其道里之數與其四鄙所抵其事覈其言詳閎覽默識精微錯綜斯爲至矣德輿忝掖垣之屬承公話言盱衡屈指珠貫冰釋辱命授簡書其大端輒磬斐然之辭敢揚不朽之業時貞元壬午歲夏四月謹序

唐故漳州刺史張君集序

善乎揚子雲之言曰詩人之賦麗以則班固亦曰賦者古詩之流也至若言天下之事業美盛德之形容皆源委於是而派流寖大

然則體物導志其爲文之本歟清河張登剛潔介特不趨和從俗循性屬詞發爲英華秉直好靜居多隱約始以巾褐辟歷衛佐廷尉平監察御史罷去家居以薦延改河南士曹掾滿歲計相表爲殿中侍御史董賦於江南無何授漳州刺史居七年坐公事受劾吏議侵誣胸臆約結慼疾不起悲夫君以偉詞逸氣滯於奧渫之下又疾卑調細人白黑太明矯枉憤厲往往過正故其賦有云鶡必鬬而知斃龍就屠而不馴又云賤而榮兮跌而喪痛一世之紛綸皆所以感慨頓挫放言而兆憂賈禍恆必由之二十年間數免希遷志力相絓斯亦從古才士之所患也與夫脅肩令色坐取曠貴者豈同日哉所著詩賦之外書啟序述誌記銘誄合爲一百二十篇相如之形似二班之情理公幹之卓犖經奇景陽之鏗鏘蔥蒨升堂睹奧我無媿焉自古富貴而名磨滅者何可勝紀如張君求居寄別懷人三賦與徵相一篇意所有激鏘然玉振予嘗吟咀於脣吻之間以爲儻有繼梁昭明之爲者斯不可遺也已曾不得

登金閨玉堂備言語侍從之列伏守海郡迫阨終身可勝歎耶君之孤宣猷以予建中初同爲丹陽公從事棒持遺文拜泣見託開卷三復追懷舊故詠言擊節髣髴如聞列於左方傳諸好事云爾

文粹補遺卷弟二十一

資金聞王堂痛言誦詩泣之刻伏念諸追恨終日可勝嘆耶君
之孤宦游以于建中西同爲門閣公筵中斛詩遺文升述寬自開
後三復追懷舊故痛言擊節長嘆如聞如見於左右傳諸好事云爾

文粹補遺卷第二十一

文粹補遺卷第二十二

吳江　郭麐　纂

序二 總九首

上元和郡縣圖志序　李吉甫

臣聞王者建州域物土疆觀次於星躔察法於地理考中國山河之象求二儀險阻之情天漢萌而兩界分南官正而五均敘自黃帝之方制萬國夏禹之分別九州辨方經野因人緯俗其揆一也及秦皇幷六國則罷侯而置守漢武討百蠻則窮兵而黷武雖裂為郡縣者遠過於殷周而教令之所行威懷之所服亦不越於三代失天地作限之意非皇王尚德之仁誇志役心久而後悔由此觀之則聖人疆理之制固不在荒遠矣吾國家肇自貞觀至於開元兼夏商之職貢掩秦漢之文軌梯航累乎九譯廐置通乎萬里然後分疆以辨之置吏以康之任所有而差貢賦因所宜而制名物守其要害險其走集經理之道冠乎百王巍巍乎無得而稱矣易曰天險不可升地險山川丘陵王公設險以守其國險之時用大矣哉然則聖人雖設險而未嘗恃險施於有備之內措於立德之中其用常存其機不顯弛張開闔因變制權所以財成二儀統理萬物故漢祖入關諸將爭走金帛之府惟蕭何收秦圖書高祖所以知山川阨塞戶口虛實厥後受命氾水定都洛陽留侯演委

畧之謀田肯賀入關之策事關興替理切安危舉斯而言斷可識矣伏惟睿聖文武皇帝陛下握樞秉聖承祧立極祖堯舜之道憲文武之程皇王之遐蹤行之必至祖宗之耿光寢而復耀天寶之季王途暫艱由是墜綱解而不紐强侯傲而未肅逮至興運盡爲驅除故蜀有阻險之夫吳有憑江之卒雖完保聚繕甲兵莫不手足裂而異處封疆一平四海故鄜衛風偃朔塞砥平東西南北無思不服臣吉甫當元聖撫運之初從內庭視草之列尋備袞職久塵台階每自循省赧然收汗謨明弼諧誠淺智之不及簿書期會亦散才之不工久而伏思方得所效以爲成當今之務樹將來之勢則莫若版圖地理之爲切也所以前上元和國計簿審戶口之豐耗續撰元和郡縣圖志辨州域之疆理時獲省閱或裨聰明豈欲希酇侯之規模庶乎盡朱贛之條奏況古今言地理者凡數千家尙古遠者或搜古而畧今採謠俗者多傳疑而失實飾州邦而敘人物因丘墓而徵鬼神流於異端莫切根要至於丘壤山川攻守利害本於地理者皆畧而不書將何以佐明王扼天下之吭制羣生之命收地保勢勝之私示形束壤制之端此微臣之所以精研聖后之所宜周覽也謹上元和郡縣圖志起京兆府盡隴右道凡四十七鎮成四十卷每鎮皆圖在篇首冠於敘事之前幷目錄兩卷總四十二卷臣學非博聞識愧經遠馳騖雖久漏畧猶名輕瀆宸嚴退增戰越謹上

監察御史儲公集序　顧況

聖人賢人皆鍾運而生述聖賢之意亦鍾運盛衰矣開元十四年嚴黃門知考功以魯國儲公進士高第與崔國輔員外綦毋潛著作同時其明年擢第常建少府王龍標昌齡此數人皆當時之秀而侍御聲價隱隱轔轔諸子其文篇賦論凡七十卷雖無雲雷之會意氣相感而扶危拯病緯有賢達之風拔身虜庭竟陷危邦士生不融可以言命然窺其鴻黃窈窕之學金石管磬之聲如登瑤臺而進玉府靈扃邃宇景物寥映綠流翠草佳木好鳥不足稱珍

嗣息曰溶亦鳳毛駿骨恐墜先志泝洄千里泣拜告余曰我先人與王右丞伯仲之歡也相國縉雲嘗以序冠編次會縉雲之謫亡焉後輩據文之士風流不接故小子獲忝操簡伏恐魂遊無方啮責造次茫茫古道不見來者豈以龍戰害乎鹿鳴齊竽競吹燕石爭寶嗚呼薄遊之士未躋一峯已伐其峻登閬風者乃知其迤邐昏明掩豁將盡復通之者其若是乎

劉商郎中集序　　武元衡

天運地轉剛柔生焉禮辨樂形文章出焉天之文莫麗乎日月地之文莫秀乎山川聖人觀象立言用稽述作發乎性情形於咏歌大則明天下政途彌綸王化小則舒一時幽憤刺見國風故子夏云在心爲志發言爲詩聲成文謂之音也故可動天地感鬼神則正始之道存焉有唐文士彭城劉公諱商字子夏眷予一先後之輩睦於兩中外之親緣情所鍾愛亦加等顧惟遭幸秉國樞重燮贊台衡之務統臨井絡之人其孤乃緘鐍遺文提捧萬里猥期序

引將佐詞林予感悼故知惻覽華藻珠玉綴錯清泠自飄皆素所狎聞也泫然涕下不能自收矧公遐情浩然酷尙山水著文之外妙極丹青好事君子或持冰素越淮湖求一松一石片雲孤鶴獲者寶之雖楚璧南金不之過也晚歲擺落塵滓割棄親愛夢寐靈仙之境逍遙元牝之門又安知不攀附雲霓蛻迹巖壑超然懸解與漫汗游乎無閒邪著歌行等篇皆思入窅冥勢含飛動滋液瓊瓌之朗潤濬發綺繡之濃華觸境成文隨文變象是謂折繁音於孤韻貫清濟於洪流者也今所編錄凡二百七十七篇及早歲著胡笳詞十八拍出入沙塞之勤崎嶇驚畏之患亦云至矣有若太原王緒河東裴茂茂弟薦河南豆盧峯馮翊嚴紳紳弟綬及余伯舅洎於子夏咸以儒業相資冠冑羣族雄詞麗句遍在人閒予與司空嚴公親結義深相與編葺恨不得繼采詩之末播於樂章且傳諸名士庶幾不朽忝以宿姻舊好撫事追書故言之不讓也

董氏武陵集序　　劉禹錫

片言可以明百意坐馳可以役萬景工於詩者能之風雅體變而興同古今調殊而理冥達於詩者能之工生於才達生於明二者還相爲用而後詩道備矣余嘗執斯評爲公是且衡而度之誠懸乎心默揣羣才鈞銖尋尺隨限而盡如是所閱者百態一旦得董生之詞杳如搏翠屛浮層瀾視聽所遇非風塵間物亦猶明金粹羽得於遐裔雖欲勿寶可乎生名挺字庶中幼嗜屬詩晚而不衰心源爲鑪筆端爲炭鍜錬元本雕礱羣形糺紛舛錯逐意奔走因故沿濁協爲新聲常所與游皆青雲之士聞名如盧杜高韻如包李迭以章句揚於當時末路寡徒値余歡甚因相謂曰聞者身以廷尉屬爲荆州從事移疾罷去幽臥於武陵迨今四年言未信於世道不施於人寓其性懷播爲吟咏時復發罰紛然盈前凡五十篇因地爲目吾子常號知我盍表而志之爲生羽翼予不得讓而著於篇因系之曰詩者其文章之蘊邪義得而言喪故微而難能境生於象外故精而寡和千里之繆不容秋豪非有的然之姿可使戶曉必俟知者然後鼓行於時自建安距永明已還詞人比肩唱和相發有以朔風零雨高視天下蟬噪鳥鳴蔚在史策國朝因之粲然復興由篇章以躋貴仕者相踵而起兵興已還右武尙功公卿大夫以憂濟爲任不暇器人於文什之閒故其風寖息樂府協律不能足新音以度曲夜諷之職寂寥無紀則董生之貧臥於裔土也其不得於時者歟其不試故藝者歟

卓異記序 李翺

聖唐帝功環特奇偉前古無可比倫及臣下盛事超絕而殊常輝昔而照今貽謀記敘家世徽範奉上虔密不自顯發人莫知之至有誤爲傳說者洎正人碩賢守道不撓立言行己貞貫白日得以愛慕遵楷其姦雄之跡覩而益明自勵廣記則隨所聞見雜載其事不以次第然皆是警惕在心或可諷歎且神仙鬼怪未得諦言非有所用俾好生不殺爲仁之一途無害於敎化故貽謀自廣不俟繁書以見其意時開成五年七月在檀溪李翺撰

樊南甲集序　李商隱

樊南生十六能著才論聖論以古文出諸公間後聯爲鄆相國華太守所憐居門下時敕定奏記始通今體後又兩爲祕省房中官恣展古集往往嗢噱於任范徐庾之閒有請作文或時得好對切事聲勢物景哀上浮壯能感動人十年京師寒且餓人或目曰韓文杜詩彭陽章檄樊南窮凍人或知之仲弟聖僕特善古文居會昌中進士爲第一二常表以今體規我而未爲能休大中元年被奏入嶺當表記所爲亦多冬如南郡舟中忽復括其所藏火燹墨汙半有墜落因削筆衡山洗硯湘江以類相等色得四百三十三件作二十卷喚曰樊南四六四六之名六博格五四數六甲之取也未足矜十月十二日夜月明序

松陵集序　皮日休

詩有六藝其一曰比比者定物之情狀也則必謂之才才之備者於聖爲六藝於賢爲聲詩噫春秋之後頌聲亡寢降於漢氏詩道浡作然二雅之風委而不興矣在詩有三言四言五言六言七言九言之作三言者曰振振鷺鷺于飛是也五言者曰誰謂雀無角何以穿我屋是也六言者我姑酌彼金罍是也七言者交交黃鳥止於桑是也九言者曰泂酌彼行潦挹彼注茲是也蓋古詩率以四言爲本而漢氏方以五言七言爲之也其句亦出於周詩五言者李陵曰攜手上河梁是也七言者漢武曰日月星辰和四時是也爾後盛於建安以降江左君臣得其浮豔然詩之六藝微矣逮及吾唐開元之世易其體爲律焉始切於儷偶拘於聲勢詩云觀閔既多受侮不少其對也工矣堯典曰聲依永律和聲其爲律也甚矣由漢及唐詩之道盡矣吾又不知千祀之後詩之道止於斯而已卽後有變而作者不得以知之夫才之備者猶天地之氣乎氣者止乎一也分而爲四時其爲春則煦枯發枿如渫如濩百物融洽酣入肌骨其爲夏則赫曦朝升天地如爨草焦木暍若燎毛鬢其爲秋則涼飇高瞥若露天骨景爽夕清神不黴形其爲冬則

霜陣一淒萬物皆瘁雲沮日慘若憚天責夫如是豈拘於一哉亦變之而已人之有才者不變則已苟變之豈異於是乎故才之用也廣之爲滄溟細之爲溝竇高之爲山嶽碎之爲瓦礫美之爲西子惡之爲敦洽壯之爲武賁弱之爲處女大則八荒之外不可窮小則一毫之末不可見苟其才如是復能善用之則庖丁之牛扁之輪郢之斤不足謂神解也噫古之士窮達必形於歌詠苟欲見乎志非文不能宣也於是爲其詞詞之作故不能獨善必須人以成之昔周公爲詩以遺成王吉甫作誦以贈申伯詩之酬贈其來尚矣後每爲詩必多字闕二爲字闕一咸通七年今兵部令狐員外在淮南今中書舍人字闕二公守毘陵日休皆以詞獲幸悉蒙以所製命之和各字闕二軸亦有名其守者十年大司諫清河公出牧於吳日休爲郡從事居一月有進士陸龜蒙字魯望者以其業見造凡數篇其才之變眞天地之氣也近代稱溫飛卿李義山爲之最俾生參之未知其孰爲之後先也

添漁具詩序

天隨子爲漁具詩十五首以遺余凡有獻以來術之與器莫不盡於是也噫古之人或有溺於漁者行其術而不能言用其器而不能狀此與澤沮之獻者又何異哉如吟魯望之詩想其致則江風海雨樴樴生齒牙間眞世外漁者之才也余昔之漁所在泂上則爲庵以守之居峴下則占磯以待之江漢間時候率多雨唯以䉂笠自庇每伺魚必多俯䉂笠不能庇其上由是織篷以障之上抱而下仰字之曰背篷今觀魯望之十五篇未有是作因次而詠之用以補其遺者漁家生具獲足於吾屬之文也

文藪序

咸通丙戌中日休射策不上第退歸州東別墅編次其文復將貢於有司登篋叢萃繁如藪澤因名其書曰文藪焉比見元次山納文編於有司侍郎楊公浚見文編歎曰上第污元子耳斯文也不敢希楊公之歎希當時作者一知耳賦者古詩之流也傷前王太

佚作憂賦慮民道難濟作河橋賦念下情不達作霍山賦憫寒士道壅作桃花賦離騷者文之菁英者傷於宏奧今也不顯離騷作九諷文貴窮理理貴原情作十原大樂既亡至音不嗣作補周禮九夏歌兩漢庸儒賤我左氏作春秋決疑其餘碑銘讚頌論議書序皆上剗遠非下補近失非空言也較其道可在古人之後矣古風詩編之文末俾覗之粗俊於口也亦由食魚遇鯖持肉偶䐑皮子世錄著之於後亦太史公自序之意也凡二百篇爲十卷覽者無誚矣

文粹補遺卷弟二十二

文粹補遺卷弟二十三

吳江　郭麐　纂

序三　總七首

北戸録序　陸希聲

詩人之作本於風俗大抵以物類比興達乎情性之源自非觀化察時周知民俗之事博聞多見曲盡萬物之理者則安足以蘊爲六義之奧流爲弦歌之美哉由是言之則古之學者固不厭博博

而且信君子難之東牟段君公路鄒平公之孫也自未能把筆愛以指畫地如文字及六七歲受學果能強力不罷其學尤長仄僻人所不能知者殫乎羣籍之中仡仡然有餘力閒者以事南遊五嶺閒常采其民風土俗飲食衣製歌謠哀樂有異於中夏者錄而志之至於草木果蔬昆蟲羽毛之類有瓌形詭狀者亦莫不畢載非徒止於所聞見而已又能連類引證與奇書異說相參驗眞所謂博而且信者矣噫近日著小說者多矣大率皆鬼神變怪荒唐誕妄之事不然則滑稽詼諧以爲笑樂之資離此二者或強言故事則皆詆訾前賢使悠悠者以爲口實此近世之通病也如君所言皆無有是其著於錄者悉可考驗此蓋博物之一助豈徒爲譚端而已乎君以予往從事嶺南備覈其實請予序以爲證予嘗觀圖於書府君狀貌一似鄒平公而又能以文學世其家於乎鄒平公爲有後矣因爲之序而不辭右拾遺内供奉陸希聲撰

唐風集序　顧雲

大順初皇帝命小宗伯河東裴公掌邦貢次二年遐者來隱者出異人俊士始大集都下於羣進士中得九華山杜荀鶴拔居上第諸生謝恩日列坐既定公揖生謂曰聖人嫌文教之未張思得如高宗朝拾遺陳公作詩出沒二雅馳驟建安削苦澀僻碎略淫靡淺切破艷冶之堅陣擒雕巧之酋帥皆摧撞折角崩潰解散掃蕩詞場廓清文祲然後有戴容州劉隨州王江寧率其徒揚鞭按轡相與呵樂來朝於正道矣以生詩有陳體可以潤國風廣王澤因擢生以塞詔意生勉爲中興詩宗生謝而退次年寧親江表以僕故山偕隱者出生平所著五七言三百篇見簡詠其雅麗清苦激越之句能使貪吏廉邪臣正父慈子孝兄良弟順人倫綱紀備矣其壯語大言則決起逸發可以左攬工部袂右拍翰林肩吞賈喻八九於胸中曾不蔕芥或情發乎中則極思冥搜游泳希夷形兀枯木五聲勞於呼吸萬象悉於抉剔信詩家之雄傑者也美哉裴公之知人爲不誣矣於戲旌別淑慝史臣之職也僕幸得爲之敘錄視其人齒尚壯才力未盡謳吟之興方酣視其繼作得如周頌魯頌者廣之爲唐風集老而益精留次序（一作別爲之次序）　景福元年壬子夏述

周朴詩集序　林嵩

顏子聖聲與日月而不盡黔婁貧譽等江河而共存於戲先貧俱足亦顏黔之流而能於詩惜哉不雍容金馬門蹴踏宣尼戶乾符七年閩城殞賊悲夫先生名朴字見素生於釣臺而長於甌閩與李建州頻方處士干爲詩友一篇一詠膾炙人口鸞驚鳳軼祥瑞皇家迂僻而貧聾瞽不重高傲縱逸林觀宇宙視富貴如浮雲蔑珪璋如草芥惟山僧釣叟相與往還蓬門廬戶不庇風雨穟不秔歉不變晏如也詩人張爲嘗貽先生詩曰到處只閑戶逢君便展眉閩之廉問楊公發李公晦中朝重德羽翼詞人奇君之詩召而不往或曰達寮憐才而子避之何也先生曰二公憐才吾固不往苟或見之以吾之貧恐以攝假之牒見縻耳亦接輿於陵未能加

也松蟠鶴翅泥曳龜尾一卯一鑿寬於天地先生爲詩思遲盈月方得一聯一句得必驚人未暇全篇已布人口有僧樓浩高人也與先生善捃拾先生遺文得詩一百首中和二年冬十月攜來訪余且驚且喜余欲先生之文與方干齊集畢遂爲之序小子以詞賦博挂投文非所業但直舉其美文覗作者

讒書重序

羅隱

隱次讒書之明年以所試不如人有司用公道落去其夏調膳於江東不隨歲貢又一年朝廷以彭門就辟刀机猶溼詔吾輩不宜求試然文章之興不爲舉場也明矣蓋君子有其位則執大柄以定是非無其位則著私書而疏善惡斯所以警當世而誡將來也自揚孟以下何嘗以名爲而又念文皇帝致理之初法制悠久必不以蟣蝨癢痛遂偃斯文今年諫官有言果動天聽所以不廢讒書也不亦宜乎

陳先生集後序

潁川陳先生諱黯字希儒曩者與予聲跡相接於京師各獲譽於進取咸通庚寅歲膠其道於蒲津秋試之場自後俱爲小宗伯所困不一至甲申春告予以婚嫁之牽制東歸青門操執之後余亦東遊逮大梁時故杭州盧員外濤在幕齋其文軸謂余曰陳君罷而東豈其斯文之終窒乎子東及之爲我歸其文而激其來余至維揚及歸其文遵其言相懽月而後別爲我謝范陽公龍門之役不復顧矣由是音塵杜絕天復元年四門博士江夏君通家相好於吳越面余論及場中曩之名士及希儒之表也余不覺愴然懷舊明年黃君以其文章德業爲之序以寄俾予繫述遂得申斯言嗚呼大唐設進士科三百年矣得之者或非常之人失之者或非常之人若陳希儒之才美則非常之人失之者矣德行莫若敦於親戚文章莫若大於流傳今已備於江夏之筆矣余不克再敘止書交道於是噫

華嚴原人論後序

李純甫

草堂禪師佩曹溪心印註華嚴法界觀疏圓覺經又恐其理甚深世俗未辨著原人論而學者猶苦其難入蓋唯心之旨非自悟者不能信受也後三百歲白衣弟子李純甫又作睡語題其端云如人初夢一刹那頃根身器界異類衆生一時頓現種種各別一念力頓成就具足無量境界覺人呼覺始知夢中元無我人衆生壽者諸相亦無地水火風等物畢竟虛空唯依第六意識以爲根本然則覺人所見山河大地十二類生并自身相唯依第八業識其理曉然無可疑焉有大覺者門說眞空始故長夜宛如大夢等無有異儒者道家夢中說夢未知是夢復有既知是夢戀著夢境不知覺寤佛爲是人開說人天乘復有既知是夢厭惡夢境不知睡眠佛爲是人開說聲聞緣覺二乘復有既知是夢故無戀著亦無厭惡寤寐自如佛爲是人開說菩薩最上大乘於大乘中復有未知夢由妄念而有境界佛爲是人說法相教復有未知本無妄念夢境亦空佛爲是人說破相教復有未知夢中之人卽世覺者佛爲是人說顯性教故知衆生本來成佛初發心時卽登正覺示起於座便入涅槃原人一論卽覺者之一呼也繹其首尾大略如此法同寢者應如是觀

自敘

劉子元

予幼奉庭訓早遊文學年在紈綺便受古文尚書每苦其辭艱瑣難爲諷讀雖屢逢捶撻而其業不成嘗聞家君爲諸兄講春秋左氏傳每廢書而聽逮講畢卽爲諸兄說之因竊歎曰若使書皆如此吾不復怠矣先君奇其意於是始授以左氏期年而講誦都畢於時年甫十有二矣所講雖未能深解而大義略舉父兄欲令博觀義疏精此一經辭以獲麟已後未見其事乞且觀餘部以廣異聞次又讀史漢三國志既欲知古今沿革麻數相承於是觸類而觀不假師訓自漢中興以降迄乎皇家實錄年十有七而窺覽略周其所讀書多因假賃雖部帙殘缺篇第有遺至於敘事之紀綱立言之梗概亦粗知之矣但於時將求仕進兼習揣摩至於專心

諸史我則未暇洎年登弱冠射策東朝於是思有餘閒獲遂本願旅遊京洛頗積歲年公私借書恣情披閱至如一代之史分爲數家其間雜記小書又競爲異說莫不鑽研穿鑿盡其利害加以自小觀書喜談名理其所悟者皆得諸衿腑非由染習故始在總角讀班謝兩漢便怪前書不應有古今人表後書宜爲更始立紀當時聞者共責以童子何知而敢輕議前哲於是赧然自失無辭以對其後見張衡范曄集果以二史爲非其有暗合於古人者蓋不可勝紀始知流俗之士難與之言凡有異同蓄諸方寸及年已過立言悟日多常恨時無同好可與言者維東海徐堅晚與之遇相得甚歡雖古者伯牙之識鍾期管仲之知鮑叔不是過也復有永城朱敬則沛國劉允濟吳興薛謙光河南元行沖陳留吳兢壽春裴懷古亦以言議見許道術相知所有揚搉得盡懷抱每云德不孤必有鄰四海之內知我者不過數子而已矣昔仲尼以睿聖明哲天縱多能覩史籍之繁文懼覽之者不一刪詩爲三百篇約史記以修春秋讚易道以黜八索述職方以除九丘討論墳典斷自唐虞以迄於周其文不刊爲後王法自茲厥後史籍逾多苟非命世大才孰能刊正其失嗟予小子敢當此任其於史傳也嘗欲自班馬以降迄於姚李令狐顏孔諸書莫不因其舊義普加釐革但以無夫子之名而輙行夫子之事將恐致驚愚俗取咎時人徒有其勞而莫之見賞所以每握管歎息遲回者久之非欲之而不能實能之而不敢也既朝廷有知意者遂以載筆見推由是三爲史臣再入東觀每惟皇家受命多歷年所史官所編粗爲紀錄至於紀傳及志則皆未有其書長安中年會奉詔預修唐史及今上卽位又勑撰則天大聖皇后實錄凡所著述常欲行其舊議而當時同作諸士及監修貴臣每與其鑿枘相違齟齬難入故其所載削皆與俗浮沈雖自謂依違苟從然猶大爲史官所嫉嗟乎雖任當其職而吾道不行見用於時而美志不遂鬱怏孤憤無以寄懷必寢而不言嘿而無述又恐沒世之後誰知予者故退而私撰史通

以見其志昔漢世劉安著書號曰淮南子其書牢籠天地博及古今上自太公下至商鞅其錯綜經緯自謂兼於數家無遺力矣然自淮南以後作者無絶必商榷而言則其流又衆蓋仲尼既没微言不行史公著書是非多謬由是百家諸子詭説異辭務爲小辨破彼大道故揚雄法言生焉儒者之書博而寡要得其糟粕失其菁華而流俗鄙夫貴遠賤近傳兹牴牾自相欺惑故王充論衡生焉民者冥也冥然罔覺率彼愚蒙牆面而視或訛音鄙句莫究本源或守株膠柱動多拘忌故應劭風俗通生焉五常異禀百行殊軌能有兼偏知有長短苟隨才而任使則片善不遺必求備而後用則舉世莫可故劉邵人物志生焉夫開國承家立身立事一文一武或出或處雖賢愚壤隔善惡區分苟時無品藻則理難銓綜故陸景典語生焉詞人屬文其體非一譬甘辛殊味丹素異彩後來祖述識昧圓通家有詆訶人相掎摭故劉勰文心生焉若史通之爲書也蓋傷當時載筆之士其義不純思欲辨其指歸殫其體

統夫其書雖以史爲主而餘波所及上窮王道下浹人倫總括萬殊包吞千有自法言以降迄於文心而往固以納諸胸中曾不帶芥者矣夫其爲義也有與奪焉有褒貶焉有鑒誡焉有諷刺焉其爲貫穿者深矣其爲網羅者密矣其所商略者遠矣其所發明者多矣蓋談經者惡聞服杜之嗤論史者憎言班馬之失而此書多譏往哲喜述前非獲罪於時固其宜矣猶冀知音君子時有觀焉尼父有云罪我者春秋知我者春秋抑斯之謂也昔梁徵士劉孝標作敘傳其自比於馮敬通者有三而予輒不自揆亦竊比於揚子雲者有四焉何者揚雄嘗好雕蟲小伎老而悔其少作予幼喜詩賦而壯都不爲恥以文士得名期以述者自命其似一也揚雄草元累年不就當時聞者莫不哂其徒勞余撰史通亦屢移寒暑悠悠塵俗共以爲愚其似二也揚雄撰法言時人競尤其妄故作解嘲以詶之余著史通見者亦互言其短故作釋蒙以拒之其似三也揚雄少爲范踆劉歆所重及聞其撰太元經則嘲以恐蓋醬

三也謂雖少為范段劉歆所謂及閱其機太元經則明以究盡道
詳明以辨之令書史通見者亦以言其短故作釋蒙以拒之其以
然後辨俗其以當其以二也據法言時人競尤其安成作
草元賦而不為當時聞以文士不其徒以述者自命其史通亦寶說作
詩于雲而首有其言可以德雄貞者一傳其以小伎于輒不自也
于雲作敘傳其自比於馬遷故通者有三而不謂也吾私有士
尼父有云理我前者春秋知於時固其宜矣智言者君子觀焉
識往哲之美趣非懷服祇之情論史者潛知音之先而書之
為貫穿若淺深發其義為綱羅者瞻其所略者識其發明者
亦者矣夫其有也行與尊意育哀後所有鑒之有所制者其
殊包含于自法言以降之文心而往固以納中曾不帶
統夫其書雖以史為主而餘波所及上窮王道下淡人倫總括萬

文粹卷二十三　六

之為書也蓋博當博識當以為讀之上其義不純以其指歸殫其體
來祖述識與圓通家有能文相符成劉文心主為言史通
故陳典語生為詞人以而之人其論甘辛味丹素異從
一說其出其可誰而敢劉議人物志全品藻則理雖一
門則能有兼偏物人之可劉人識之主蓋以國人以其而立事文
源敢守其也殊國向語論是成王者以求行其本
蓋廷者而道部隨恒文藝書今得其人下行志以行以
其故而蓋故不常言其由不為言其身之是為大
言不而以故之作其書之者言自而新其不其世
今上有本入之人生乎所生其大立之人
以見其為其中副古書之言為言古

瓿然劉范之重雄者蓋貴其文彩若長楊羽獵之流耳如太元深奧難以探賾既絕窺踰故加譏誚余初好文章頗獲譽於當時晚談史傳遂減價於知已其似四也夫才唯下劣而跡類先賢是用銘之於心持以自慰抑猶有遺恨懼不似揚雄者有一焉何者雄之元經始成雖爲當時所賤而桓譚以爲數百年外其書必傳其後張衡陸績果以爲絕倫參聖夫以史通方諸太元今之君山郎徐朱等數君是也後來張陸則未之知耳嗟乎儻使乎子不出公紀不生將恐此書與糞土同捐煙燼俱滅後之識者無得而觀此予所以撫卷漣洏淚盡而繼之以血也

文粹補遺卷第二十三

文粹補遺卷弟二十四

吳江　郭麐　纂

序四　總七首

偶遇巴西姜主簿序　陳子昂

予疲薾永久未嘗解顏正欲登高山望遠壑揮斥幽痗以劘太清姜主簿倏自緜中至於林下乃飾琴酒之事雜文章之娛將蠲我憂積靡取樂夫浩浩之白不可獨也青春之詩又誰咎也逢太平

之化寄當年之歡同人在焉而我何歎南國橘柚陽月初榮北梁山水良辰復別揮手何贈詩以永言云爾

會諸友詩序　張說

谷子者昔與說聯務蓬山出入三載事志相得情深友于尋屬吾人秩遷迫吏幾劇愛而不見春也再華今說復謝書坊補他職窮猨之意不擇儒林喜且把袂舊筵解帶餘日臥玩文墨笑談平生茲歡豈多後面方永沈沈春雨人亦淹留

鄴公園池餞韋侍郎神都留守序

夫良才出乎休運大任歸乎令德四海既安乃注意於賢相兩都分正實具瞻乎師尹鸞臺侍郎兼左庶子韋公國之楨幹人之表儀矜嚴有叔子之容持重得楊公之望門通禁省當朝稱累代之名管綜諸闈帖職盡一時之美頃以五星東聚八月西巡武王既入於鎬京君陳當往於洛邑中日晷之盈縮均天宇之會同清廟明堂政理之本也太倉武庫兵食之原也機務所總半天下之軍

國聽訟實繁連海隅之郡縣恩有密而處遠事有疏而授親腹心遐寄惟賢是屬歲臨單閼月在長嬴同蕭何之居守當陰識之留鎮北闕拜辭西堂宴餞大君垂藻承月露之光榮元良賜服被星海之耀潤執事以同列之好載壺酒而送行鄰公以彌甥之禮掃郊園而留別此地有離洲別嶼竹館荷亭曲沼環合而連注叢山相望而間起幽隱長寂蕭條遠風通終南之雲氣下昆明之水鳥爾其駐馬青林肆筵碧岸清管西發坐客增悲高臺一望遊人忘返韋公方祇率嘉命保釐成周樹之風聲流我王澤然而臨觴不樂首路遲遲瑣闈夕拜戀未央之宮闕錦服晝遊懷杜陵之桑梓層城日下高蓋雲飛天子賦詩已載寵行之史羣公盛集須傳出徧之文凡若干首合成一卷陸生何幸暫遊朝宰之班商也斐然輕述國風之序云爾

冬夜裴員外辟侍御置酒宴集序　李白

二公以大司馬之命領浙河東西十有三州之政相與周爰咨度

平均邦賦者三月矣當割而遊刃無閒臨機而舍拔則獲由是在簿領之際無江海而閒冬十月辛未徵會於此堂宴朋友故舊也賢豪畢會升降有序逢衣淺帶十有五人聲同故窮達不閒意得而鄙吝皆遣看芳酒濃夜寂琴暢慷慨言志絡繹舉白盱衡抵掌啞啞大笑三爵耳熱萬念如洗不復計名身之親疏憂患之去來也況他累乎既醉余以箸擊唾壺扣商而歌其詞曰簿領日盈機知君傲煩囂飲和自忘渴況以初筵招道契跡自親誰爲列徧遙何用結同心緣琴復長瓢日月若走馬炎涼催斗杓一年解頤笑幾日如今宵奉君千金壽莫使歲寒凋是日禮成於易歡生於同滯憤積慘彗掃湯沃方今溟海始波世屯未康二公克壯其猷以立事爲己任行當自致青雲之上不復與適莽蒼者羣矣吾儕浮沈其間與風水俱它日或潛泉或戾天一離一合雲動雨散然後知今日尊酒未易再得將子無金玉其音姑偕賦以卒貺

別前岐山令鄒君序　沈亞之

別前岐山令鄉郡君序　況亞之

知令日尊酒未見再得將子無金玉其音始皆賦以卒朗況其間與風水俱它日或潛泉或戾天一離一合雲動雨散然後立事爲已作行樂汲方青雲之上不復與之遊矣吾齊莫非斯以同濟責請修帝吟梁沃方今溟海波岸涸未體成公克是北成生以同後門如今心綵琴十金贈目以若走馬後懷斗杓一年矣何用結同心綵琴復長歎日月若走馬從懷斗杓一年矣知君微遺囂飲相自忘過況以初迷洛道遊跡自親誰爲知適造況他景于醉耳熱萬念如洗不復計身之親白通憂患之去來堅堅大矣三爵有方酒賞敘務物慷言志洛樂白逢不開意得而歸吾道有序而後十有五人讐同故宴明文讌也賢豪畢會升降江海而問今十月辛未微會於此堂宴明文讌由是濟頒之際無江海而間今十月辛未微會於此堂宴明文讌由是乎均賦者三月矣當割而遊乃無間臨機而會故則讌由是在

二公以大同馬役之令頗外浙河東西十有三州之政相與周爰咨度
冬夜陪裴員外侍御宴集序　李白

輕延國風之序云爾

當之文凡若十首合成一卷陸生何幸曹遊朗李之班商也斐然
書之日下延高盖雲飛天子賦詩已載識行之史書公社稷之頌傳出
將首路延項閣夕拜觀未央之宮闕錦繡王室遷陵之系梓
樂公方聽李命保禦成周樹之風華流我王澤然而臨臨不忘
而其馬言林肆長者諸書同發聖容增之雲氣下一望遊人息
相望而問別此圖地有離別之情通之雨非雲外而讌明之水山桷
剏圖之讌別行以同後之不嘆而而非亭行舟以翔連我讌惠
實北閣事內堂安得大君月靈色之來元良朗之體是當心
選詩准濱戲後宴臨閣君有來向之宣有而物讌之
國語公賓道海之郡闢有而之事有派而致識之心

昔者亞之西遊過岐山而令秩始謝余將就給食人曰故令雖貧然能卑人厚禮何不往舍也時方暑既見解帶坐令衣弊縕短衣使兒孫姪捧案前賓食食已有客趑而請曰聞令家無女使賤走賓客食必夫人親治之誠厚士勤矣且賓之來者無賢不肖皆卽混然齊飽是愚爲冒矣而賢者安所愧乎令願擇之而厚結如何也令曰古者侯生亦有言人固未易知夫士以食而來我者留於門無繫帶之閒尙已爲久矣焉能待辨而後進乎亦寧有給之一食而使其甚媿固如是雖賢愚何望哉客慙而退至今三年與令遇未嘗再會食客今令窮來京師人無假氣而延於進者嗟乎會予與令各有適故書前事以敘所憤云

同德寺湊禪師院羣公會集序　穆員

歲五日杜揚州出鎭東洛羣公禮賓用餞會於此堂以候於戲從公率俗道機交態倦息得於此樂道得於此衆君子同之員亦同之況乃竹深寒庭雪淨禪室境捐世染坐對天涯甘茗代醪清論如藥蓋勞生之少息羣心之一勝會耳惜乎夕鳥集瞑客散候人至車馬行各從爾司復返吾患嚮來所聚條爾成空索過風於前林求往夢於旣寤不可及也尙書郎李君曰其可及者詩猶庶乎詩之哉

在會稽與京邑游好詩序　顧雲

造化之功東南之勝獨會稽知名前代詞人才子謝公之倫多所吟賞湖山清秀超絕上國羣峰接連萬水都會昇高而望盡目所窮蒼然黯然兀然濟然先春煦然似畫似翠似水似冰似霜似鏡削玉似劍者霞布似窈窕者霜清似英絕者如是者千狀萬態綿亘數百里閒則夫盤龍於泉巢鳳於山蘊玉於石藏珠於淵固必有矣眞駭目喪精之所也其土沃其人文雖逼闤闠而不失禮節雖枕江海而不甚瘴疫斯焉郡邑一何勝哉將天地之樂萃於此耶至於物土所產風氣所被鳥獸草木之奇妖冶嬋娟之出前聖靈蹤往哲盛事此傳詩所詳不假重言也斯但粗述其勝耳僕雖

乏才自侍從至此晨夕習業之外游覽所得吟咏煙月攄散情志自足一時之興也亦足快哉然時或倚檻南臨回首西望相交朋遠雖與同之每思往年於京洛閒見時俗之士浮淺之流多誇邑外人家有水木田園莊舍甚爲奇勝可比江山嘗與俱往謂信然今在此乃知前者之悠悠妄誇耳不足聽且夫方壺員嶠桃源洞天自標眞聖之居不與嚚塵相接非但計幽隱已也至於人寰所有游觀必當顯敞知名若會稽山水深不可測高不可及如是乃能孕靈怪藏珍寶生雲霞而盡勝概耳豈於十畝之地朝夕之閒鑿爲汙池植爲幽藪源流既邇根柢可知深不過藏青蛙密不過棲烏鵲而能出奇爲勝哉今之君子多尚奇好事貴達顯揚幽僻仄陋則言之而實不足徵也不然則是人能與造物爭功矣今序其事貽諸朋好知之者幸棄彼宂瑣而同此游也爲通理矣輒以數篇鄙拙寄贈誠玷視聽貴盡其樂以資笑言

文粹補遺卷第二十四

文粹補遺卷弟二十五

吳江　郭麐　纂

序五 總十九首

送劼赴太學序

王勃

今之游太學者多矣咸一切欲速百端進取故夫膚受末學者因利乘便經明行修者華存實爽至於振骨鯁之風標服賢聖之言懷遠大之舉蓋有之矣未之見也可以深慕哉且吾家以儒輔仁述作存者八代矣未有不久於其道而求茍出者也故能立經陳訓刪書定禮揚魁梧之風樹清白之業使吾徒子孫有所取也大

雅不云無念爾祖易不云幹父之蠱書不云惟孝友于詩不云不如友生四者備矣加之執德宏信道篤心則口誦廢食忘寢渙然有所成望然有所伏然後可以託教義編人倫彰風聲議出處若意不感慨行不卓絕輕進苟動見利忘義雖上一階履半級何足恃哉終見棄於高人但自溺於下流矣吾被服家業霑濡庭訓切磋琢磨戰兢惕厲者二十餘載矣幸以薄技獲彌戎役嘗恥道未成而受祿恨不得如古君子四十强而仕也而房族多孤飦粥不繼逼父兄之命覩饑寒之切解巾捧檄扶老攜幼今既至於斯矣不蠶而衣不耕而食吾何德以當哉至於竭小人之心申猶子之道飲食衣服晨昏左右庶幾乎令汝無反顧憂也行矣自愛游必有方離別咫尺未足耿耿嗟乎不有居者誰展色養之心不有行者孰就揚名之業籩豆有踐菽水盡心盍各賦詩敘離道意云爾

送裴五司法赴都序　宋之問

夫有別必感今昔共之蓋理迫聚散事均窮達望秦是斷腸之所

況念故園懷洛多掩涕之人更分良友裴五官業傳河寶才誕岳靈彩思有神鬚眉若畫一日不見鄙悋都生千里送歸風流忽遠朝英出餞迴北走於郊隅野墅銷雰引南山於庭際客飲恨而歡促席含情而景遲目喬樹之將華青門戀舊背芳萱之稍吐金谷逢春舉杯伊何願君軫之少駐賦詩於是旌子志之所之敢謂座賓盍宣離唱

餞宋司馬序　張九齡

宋司馬才通命蹇雲翼泥蟠策邑朔方不廢琴書之業賈誼宣室欲言鬼神之事既而出宿南浦與鴻雁而同歸追餞北梁對江山而不樂是日渚雲欲霽林鳥將春惜時物之方華重情人之自遠羣公有感中座無歡他日清風自當元度之夕茲辰零雨得無子荆之詠遂相與援翰賦詩贈行

送遂州紀參軍序　孫逖

遂州參軍紀公吾友雲將之令弟也敏於行志於道克修人彝允

副兄昜噫周公之允紀爲其首天祚明德必將有後不然何棣華之可久也選曹舉善羣吏須才九霄始構一命而偏移卜吉日遄征畏途緬躋岷峨遐涉褒漢宿息嶮險淩臨湍悍仗信不慄載義必亨方慕忠臣之志固無垂堂之責爾之寡兄克施有政是則是效念茲在茲福利則覦心永隔遠嫌則荒言自絕固雖邛僰之産巴蜀之饒不潤脂膏誰謗薏苡懋厥丕德時維哲人羣公贈言要僕題序

送薛九遠遊序　　李華

士之舒羽毛宣聲調不在高位在有道自王充元晏左思名盛當時價壓百代薛都卿以夷澹養素以文章導志自江右游湖左一句一韻遍於衣冠江山爲之鮮潤煙景以之明滅其餘情性所得蓋古人之儔歟南陽有略兼有道之高元晏之道論其措意則王充左思豈其遠乎惠然訪余告以行邁將棹溪吳越濡札江嶠東南勝事落爾胷中況爲諸侯上賓知大夫之官族古所貴勉之哉

病叟李遐叔贈

送田八落第東歸序　　陶翰

田子行於古而志於文雅多清調將有新律鋒鏑甚銳將來者其憚之勿以三年未鳴六翮小挫則遂有清谿白雲之意夫才也者命在其中矣屈也者伸在其中矣將子少安吾以是觀德灞亭柳綠昆池草青於何送歸無易詠歌

送李兵曹往江外序　　賈至

千里之馬維而不馭則意在空谷而遠思豐草累鷙之鶚韝而不搏則心在窮徼而愈懷雲霄是以濟時命代之才或淪未遇之士眇然在滄海之上扁舟之中矣李侯吾之鮑子也我知其爲人立身清而廉從政敏而達內以孝悌著外以信義稱嘉辰良宵亹亹清話又足見林宗高識叔度洪量一命佐邑非以政學也再命環衞之曹非爲官擇也徒棲遲下位祿未代耕是以去游鏡亭探禹穴水宿雲卧彌年始還今又匹馬出關艤舟洛下念安石東山

之賞懷子猷剡溪之興何雲思浩蕩而野情寥廓哉予困於徒勞累及五斗昇沈風波之裏踸踔長吏之前豈滄洲遠蹈之情南陽躬耕之意臨歧對酒有愧長劍想子行邁路經夷門見潁川陳兼河南于頔爲問道心無恙星鬢如何痛昔屢空復爲安邑也予近得陰君祕訣之北方河車郊原近山金鼎夕燎秋來氣冷鑪火適宜刀圭一開與子攜手

送李審秀才歸湖南序　任華

平西原之歲隴西李審自湘東來才甚清氣甚和節甚奇心甚高僕是以恨相知晚也秋九月又言歸於湘東衆君子出餞於北郭碧峰巉巉出於柏梢有如虎牙夾天而立加以白日欲落桂在巖半橫照灘水月帶微明操袂於茲揮袂於茲恨無崑山片玉以相贈贈君桂林之一枝審再拜曰幸甚

送譚山人歸雲陽序　元結

吾於九疑之下賞愛泉石今幾三年能扁舟數千里來遊者獨雲

陽譚子譚子文學隱名山野隱身雲陽之阿世如君何牧犢愛雲陽之宰峻公不出南岳三十年今得雲陽一峰譚子又在焉彼眞可家之者邪子去爲吾謀於牧犢近峻公有泉石老樹壽藤縈垂水可灌田一區火可燒種菽粟近泉可爲十數間茅舍所詣纔通小船吾則往而家矣此邦舜祠之奇怪陽華之殊異㶟泉之勝絕見峻公與牧犢當一一說之松竹滿庭水石滿堂石魚負樽鼻船運觴醉送譚子歸於雲陽漫叟元次山序

別崔曼序

漫叟年將五十與時不合垂三十年愛惡之聲紛紛人閒博陵崔曼惑叟所爲遊而辨之數月未去會潭州都督張正言薦曼爲蜀邑長將行叟謂曰叟異時乃山林一病民耳宜不相罔行矣勿惑吾子有才業且明辨又方年少必能樹勳庸垂名聲若求先達賢異能相技拭正在張公張公往年在西域主人能用其一言遂開境千里威振絕域寵榮當世公往在淮南逡巡指麾萬夫風從遭

逢猜疑弛而不爲今海内兵革未息張公必爲時用吾子勉之所相規者宜緩步富貴從容謀畫少節酒平氣槩耳

送蕭穎士赴東府序　劉太眞

先師微言既絶者千有餘載至夫子而後洵美無度得夫天和頃東倭之人踰海來賓舉其國俗願師於夫子非敢私請表聞於天子夫子辭以疾而不之從也退然貧居述作萬卷去其浮辭存乎正言昔左氏失於煩穀梁失於短公羊失於俗而夫子爲其折衷王公交辟拒而不應從官三年始參謀於洛京家兄與先鳴者六七人奉壺開筵執弟子之禮於路左太眞以文求進以無聞見舉而不慚爲夫子羞春雲輕陰草色新碧皎皎匹馬出於青門吾徒喟然瞻望不及賦詩仰餞者自相里造賈邕以下凡十二人皆及門之選也

送陳秀才序　于邵

秀才以我府公有元昆同官之舊邂逅不見於今三年故不遠數千里泝瀟湘踰零桂而循來上謁府公府公嘉是來也館有加籩之飾讌有承筐之禮上下交好州人悦之既而盈卷新文惠于佳句艤舟將往咨我緒言夫閉門循來者遷客之心也窮巷迂轍者達士之情也以達士之情眷索遷客不腆之作雖處憂危得無承乎多謝之仁行矣自愛

送安南裴中丞序　權德輿

士君子循道致用感恩宣力則萬里如咫步溟波猶康莊況金印照路熊車伏軾提封甚闊命賜甚厚此裴侯所以抃笑就道視交州如衡軛之前則天時之癉熱地里之迴遠皆細故也初裴侯爽退燕息未嘗角逐於有司且曰不試則已豈能自售其後累以惠文法冠爲戎輅上介甫登中臺旋鎭南服藎純鉤百汰不得自閉於匣中明矣今天子惠慈元元邈唐虞之風鄙夫司言九年玷辱清近顧不得裁成彝訓著一代典法耗竭蚩鄙爲明時羞思得上分憂歎下布條則使四封之内列郡和洽斯亦大丈夫之事也因

君是行聊復起予追思往歲攜手相樂與蘭陵蕭元植范陽盧載初宦遊出處多在江介索然物故何可勝言又想夫楊柳古灣秣陵仁祠寒夜促膝歡言舉酒晦明飆馳忽二十年各乘風波時一會合今日出祖話别在加餐自愛而已至若馬文泉之功略士威彥之教化慓俗裔人納諸掌握明珠文犀視同涕唾皆裴侯彀中所畜也不復煩言

送澥序　柳宗元

人咸言吾宗宜碩大有積德焉在高宗時並居尚書省二十二人遭諸武以故衰耗武氏敗猶不能興爲尚書吏者間十數歲乃一人永貞年吾與族兄登並爲禮部屬吾黜而季父公綽更爲刑部郎則加稠焉又觀宗中爲文雅者炳炳然以十數仁義固其素也意者其復興乎自吾爲僇人居南鄉後之穎然出者吾不見之也其在道路幸而過予者獨得澥澥質厚不諂敦朴有裕若器焉必隆然大而後可以有受擇所以入之者而已矣其文蓄積甚富好慕甚正若牆焉必基之廣而後可以有澈擇其所以出之者而已矣勤聖人之道輔以孝悌復嚮時之美吾於澥焉是望汝往哉見諸宗人爲我謝而勉焉無若太山之麓止而不得升也其唯川之不已乎吾去子終老於夷矣

送蔡沼孝廉及第後歸閩覲省序　歐陽詹

昔人論别有賦論恨有賦狀此離陳感憤其未見予於蔡侯是日之情蓋古人之遺情也人之慚莫先乎同有求而一不得人之慕莫甚乎偕遠遊而一先歸蔡侯沼字虛中予之邑人又懿親也虛中以學予謬以文其受遣乎長吏皆求試於宗伯虛中登太常第歸竄故園予有暴腮之困猶留京師同求在予則不得偕遊虛中則先歸堂俱有親身亦祈達自負違顏落羽之恥對人飛鳴就養之慶懷方寸爲丈夫稟太和曰人子不包羞不痛心行道之人也虛中胷中有心者以予此辰之意如何哉恨恨悽悽渾渾迷迷飲甘觴以若荼視春光其如秋周秦九軌之道吳楚千里之水騁逸

騎揚輕舟激爾清風歡拜非遠人則姻眤家惟里閭到日榮賀盡室當在念沽名之不異想出門之是同父也母也兄也弟也雖喜人之善則有而傷予之不肖豈無重增予鬱結之端矣明鏡前平衡下姿媚無取銖兩不登才歟命歟不自知也烹乳爲醍醐鍜金爲干將予期烹鍜以變化虛中其行乎勿謂業就不增修勿謂名成有所忽及此方遠大虛中志之

送友人遊蜀序　　呂溫

始吾挹至源之貌若隴底積雪聳寒木於雲谿次吾覽至源之文若驪龍相追弄明月於泉窟末吾聽至源之論若泰山欲雨倒雲氣於滄溟如其貌可以振肅周行如其文可以光潤石渠如其論可以感動宣室而淪蕩江海垂二十年則不知天所以生之之意貞元甲乙歲以親故勸勉來遊京師時然後言無辯以動衆樂然後笑無歡以接物義然後取無食以寧居慨然悔之決策長往因登紫閣峰而指曰西南青冥色邇岷峨吾行何歸山盡則住翌日告別於友人太原王元運顧謂余曰高雲出岫無時雨之會與風悠揚轉遠而散若至源者其猶雲耶盍亦贈之序予和汝

送孫生序　　皇甫湜

浮屠之法入中國六百年天下胥而化其所崇奉乃公卿大夫野益荒人益饑教益積天下將蕪而始渾然自上下安之若性命固然也孫生天與之覺獨曉然於厚夜聰然於大醉發憤著書攻而指斥之其詞骫骳痛入肝血乃忘力之不足以死爲斷庶幾萬一悟主救人者嗚呼不得古人而與之必也生乎道除肉刑一女言也能移高山一翁願也彼髡褐雖翳地其無足憂乎西江之涯値生盡出其說以爲贄而見余余既悲而異之乃約其言

送盧侍御史赴王令公幕序　　符載

持俯仰全檢劃從容溫謹之地齷齪之士也跨時俗向奇偉抗志風雲之表從橫之才也監察御史范陽盧公神宇聳峙襟靈爽拔脫苛細於塵垢得豪雋於意氣義分形於造次才畫充於懷抱邁

迹遐逸與人無倫年未弱冠爲鄱陽尉目事必割閒無留刃勢掩曹輩快聲颷馳江西伯常侍鮑公祭酒李公寵以賓介之日授以叢劇之務政或闕漏我能補爲無幾何驅車遊北至恒嶽閒以利討於司徒王公司徒器之開深沈之懷垂沛然之愛歡則膠固義存諷諭故能不四五年始自黄綬歷廷評司直冠惠文冠御史雖取恩知已實自躡青雲之梯也況年纔黑髮采色照地簪於名跡其心疑疑則氣高五白之博筭有千金之數直大夫豪達之事豈足累臨目之視耶昨扁舟南行次廬陵郡下適值侍御將歸華幕幸接便道爲其游之遊話酣意密備取賢主君之盛業歡喜失次若無所從因輒以狂瞽私自忖度以爲人生於世其公者樹勳烈銘鼎彝休聲巍巍垂之無窮其私者富貴壽考而已矣今令公功德格皇天忠義貫古人地方數千里甲兵十餘萬身爲上公壽方無疆英英三子般如川瀆尚書以寬厚保師旅大夫以沈毅威暴亂都尉以才智承恩澤一門雄雄洪業所鍾生人之美盡於斯矣成天下之務者時也射萬世之利者勢也若當此時抗雙旌驅四牡星馳丹陛對敭休命彼燕趙東平之諸侯恥不若也皆執玉帛爭修覲禮使純誠動鬼神之感光耀增日月之輝君臣之道穆穆皇皇則史冊之美又盡於此矣夫何犬戎之瑣細而敢爲大國之患難紓令公之思慮哉侍御犀額燕頷骨狀甚貴懸知是行也必能露丹懇騁飛辨大陳明義以酬國恩山中異日偶承來問聞侍御褰衣結綬從公於北闕之下明天子以卿大夫印綬加之不可得而讓也窮秋葉脫雁號霜勁矣行道開襟下帆鍾陵衆君子珪璋偉士英英照爛美侍御之所從也樂請抒詩什以貺之載懦夫也酺觴[疑]所謂以附於敘末

送草書僧歸楚越　　司空圖

傖荒之俗尤惡技於文墨者華氏流寓而至則遽發其豪焚棄札牘之累以快既自容矣又仇沮繼至者若不勝其怨噫是華舌夷心而又甚之者矣洎天下將亂則雖吾里其風亦變果傖荒之流

民亦多矣倘或未化亦其益孤不能自振苟聞志於吾技則必躍而游之剡踵門而勸請者耶晉光僧生於東越雖幼落於佛而學無不至故逸跡遒勁之外亦恣爲謌詩以導江湖沈鬱之氣是佛首而儒其業者也雖孟荀復生豈拒之哉今繫名內殿且爲歸榮足以光於遠矣永嘉西岑康樂勝遊之最是行也爲我以論詩一篇題於絕壁

文粹補遺卷第二十五

文粹補遺卷第二十六

吳江 郭麐 纂

傳 總八首

陳子昂別傳 盧藏用

陳子昂字伯玉梓州射洪縣人也本居潁川四世祖方慶得墨翟祕書隱於武東山子孫因家焉世爲豪族父元敬瑰偉倜儻年二

十以豪俠聞屬鄉人阻饑一朝散萬鍾之粟而不求報於是遠近歸之若龜魚之赴淵也以明經擢第授文林郎因究覽墳籍居家園以求其志餌地骨鍊雲膏四十餘年嗣子子昂奇傑過人資狀嶽立始以豪家子馳俠使氣至年十七八未知書嘗從博徒入鄉學慨然立志因謝絕門客專精墳典數年之閒經史百家罔不該覽尤善屬文雅有相如子雲之風骨初爲詩幽人王適見而驚曰此子必爲文宗矣年二十一始東入咸京遊太學歷抵羣公都邑靡然屬目矣由是爲遠近所藉甚以進士對策高第屬唐高宗大帝崩於洛陽宮靈駕將西歸子昂乃獻書闕下時皇上以太后居攝覽其書而壯之召見問狀子昂貌寢寡援然言王霸大略君臣之際甚慷慨焉上壯其言而未深知也乃敕曰梓州人陳子昂地籍英靈文稱偉曜拜麟臺正字時洛中傳寫其書市肆閭巷吟諷相屬乃至轉相貨鬻飛馳遠邇秩滿隨常牒補右衛胄曹上數召見問政事言多切直書奏輒罷之以繼母憂解官服闋拜右拾遺

子昂晚愛黃老之言尤耽味易象往往精詣在職默然不樂私有挂冠之意屬契丹以營州叛建安郡王攸宜親總戎律臺閣英妙皆署在軍麾特敕子昂參謀帷幕軍次漁陽前軍王孝傑等相次陷沒三軍震慴子昂進諫曰主上應天順人百蠻向化契丹小醜敢謀亂常天意將空東北之隅以資中國也大王以元老懿親威略邁世受律廟堂弔人問罪具精甲百萬以臨薊門運海陵之倉馳隴山之馬積南方之甲發西山之雄傾天下以事一隅此猶舉太山而壓卵建瓴破竹之勢也然而張元遇王孝傑等不謹師律授首虜庭由此長寇威而殆戰士夫寇威長則難以爭鋒戰士殆則無以制變今敗軍之後天下側耳草野傾聽國政今大王沖謙退讓法度不申每事同前何以統眾前如兒戲後如兒戲豈徒爲賊所輕亦生天下姦雄之心聖人威制六合故用聲爾非能家至戶到然後可服況兵貴先聲今發半天下之兵以屬王安危成敗在百日之內何可輕以爲尋常大王若聽愚計卽可行若不聽必

無功矣須期成功報國可欲送身誤國耶伏乞審聽請盡至忠之言凡軍須先比量智愚眾寡勇怯強弱部校將帥士卒之勢然後可合戰求利以長攻短今皆同前不量力又不簡練暗驅烏合敗後怯兵欲討賊何由取勝僕一愚夫猶言不可況姦賊勝氣十倍未可當也且統眾禦姦須有法制親信若單獨一身則朱亥金鎚有竊發之勢不可不畏人有負琬玉之寶行於途必被劫賊何者爲寶重人愛之今大王位重又總半天下兵豈直琬玉而已天下利器不可一失一失卽後有聖智之力難爲功也故願大王於此決策非小讓兒戲可了若此不用忠言則至時機已失機與時一失不可再得願大王熟察大王誠能聽愚計乞分麾下萬人以爲前驅則王之功可立也建安方求鬬士以子昂素是書生謝而不納子昂體弱多疾感激忠義嘗欲奮身以答國士自以官在近侍又參預軍謀不可見危而惜身苟容他日又進諫言甚切至建安謝絕之乃署以軍曹子昂知不合因箝默下列但兼掌書記而已

因登薊北樓感昔樂生燕昭之事賦詩數百乃泣然流涕而歌曰前不見古人後不見來者念天地之悠悠獨愴然而涕下時人莫之知也及軍罷以父老表乞能職歸侍天子優之聽帶官取急而歸遂於射洪西山構茅宇數十間種樹採藥以爲養嘗恨國史蕪雜乃自漢孝武之後以迄於唐爲後史記綱紀纚立筆削未終鍾文林府君憂其書中廢子昂性至孝哀號柴毀氣息不逮屬本縣令段簡貪暴殘忍聞其家有財乃附會文法將欲害之子昂荒懼使家人納錢二十萬而簡意未塞數輿曳就吏子昂素羸疾又哀毀杖不能起外迫苛政自度氣力恐不能全因命蓍自筮卦成仰而號曰天命不佑吾其死矣於是遂絕年四十二子昂有天下大名而不以矜人剛斷強毅而未嘗忤物好施輕財而不求報性不飲酒至於契情會理兀然而醉工爲文而不好作其立言措意在王霸大略而已時人不之知也尤重交友之分意氣一合雖白刃不可奪也友人趙貞固鳳閣舍人陸餘慶殿中侍御史畢構監察

御史王無競亳州長史房融右史崔泰之處士太原郭襲徵道人史懷一皆篤歲寒之交與藏用遊最久飽於其論故其事可得而述也其文章散落多得之於人口今所存者十卷嘗著江上丈人論將磅礴機化而與造物者遊遭家難亡之荆州倉曹槐里馬擇曰擇昔從父友王適獲陳君欣然忘我幼齡矣榆關之役君籌其謀我安累年不接晤語聖曆初君歸寧舊山有挂冠之志予懷役南遊邅茲歡甚幽林清泉醉歌弦詠周覽所記條徧岷峨予旋未幾陳君將化悲夫言絕道冥杳然若喪之幾延陵心許而彼已亡天喪斯文我恨何及君故人范陽盧藏用集其遺文爲序傳識者稱其實錄嗚呼陳君爲不亡矣遂爲贊曰

岷山導江回薄萬里浩瀚鴻溶東注滄海靈光氛氳上薄紫雲其瑰寶所育則生異人於戲才可兼濟屈而不伸行通神明困於庸豎子曰道之將喪也命矣夫

太學生何蕃傳　　韓愈

太學生何蕃入太學者廿餘年矣歲舉進士學成行尊自太學諸生推頌不敢與蕃齒相與言於助教博士以狀申於司業祭酒司業祭酒撰次蕃之羣行焯焯者數十餘事以之升於禮部而以聞於天子京師諸生以薦蕃名文說者不可選紀公卿大夫知蕃者比肩立莫爲禮部爲禮部者率蕃所不合者以是無成功蕃淮南人父母俱全初入太學歲率一歸父母止之其後間一二歲乃一歸又止之不歸者五歲矣蕃純孝人也閔親之老不自克一日揖諸生歸養於和州諸生不能止乃閉蕃空舍中於是太學六館之士百餘人又以蕃之義行言於司業陽先生城請諭留蕃於是太學缺祭酒會陽先生出道州不果留歐陽詹生言曰蕃仁勇人也或者曰蕃居太學諸生不爲非義葬死者之無歸哀其孤而字焉惠之大小必以力復斯其所謂仁歟蕃之力不任其體其貌不任其心吾不知其勇也歐陽詹生曰朱泚之亂太學諸生舉將從之來請起蕃蕃正色叱之六館之士不從亂茲非其勇歟

惜乎蕃之居下其可以施於人者不流也譬之水其爲澤不爲川乎川者高澤者卑高者流卑者止是故蕃之仁義充諸心行諸太學積者多施者不遐也天將雨水氣上無擇於川澤澗溪之高下然則澤之道其亦有施乎抑有待於彼者歟故凡貧賤之士必有待然後能有所立獨何蕃歟吾是以言之無亦使其無傳焉

童區寄傳

柳宗元

柳先生曰越人少恩生男女以貨視之自毀齒以上父兄鬻賣以覬其利不足則盜取他室束縛鉗梏之至有鬚鬣者力不勝皆屈爲僮當道相賊殺以爲俗幸得壯大則縛取幺弱者漢官因以爲己利苟得僮恣所爲不問以是越中戶口滋耗少得自脫惟童區寄以十一歲勝斯亦奇矣桂部從事杜周士爲余言之童區寄者柳州蕘牧兒也行牧且蕘二豪賊劫持反接布囊其口去逾四十里之虛所賣之寄僞兒啼恐慄爲兒恒狀賊易之對飲酒醉一人去爲市一人臥植刃道上童微伺其睡以縛背刃力下上得絕因

取刃殺之逃未及遠市者還得童大駭將殺之童遽曰爲兩郎僮孰若爲一郎僮耶彼不我恩也郎誠見完與恩無所不可市者良久計曰與其殺是童孰若賣之與其賣而分孰若吾得專也幸而殺彼甚善即藏其尸持童抵主人所愈束縛牢甚夜半童自轉以縛即爐火燒絕之雖瘡手勿憚復取刃殺市者因大號一虛皆驚童曰我區氏兒也不當爲僮賊二人得我我幸皆殺之矣願以聞於官虛吏白州州白大府大府召視兒幼愿耳刺史顔証奇之留爲小吏不肯與衣裳吏護還之鄉鄉之行劫縛者側目莫敢過其門皆曰是兒少秦武陽二歲而討殺二豪豈可近耶

馮燕傳　沈亞之

馮燕者魏豪人祖父無聞名燕少以意氣任專爲擊毬鬭雞戲魏市有爭財鬭者燕聞之往搏殺不平遂沈匿田間官捕急遂亡滑益與滑軍中少年雞毬相得時相國賈公耽在滑能燕才留屬中軍他日出行里中見戶傍婦人翳袖而望者色甚冶使人熟其意

遂室之其夫滑將張嬰者也嬰聞其故累毆妻妻黨皆怨望嬰會嬰從其類飲燕伺得間復偃寢中拒寢戶嬰還妻開戶納嬰以裾蔽燕燕卑脊步就蔽轉匿戶扇後而巾墮枕下與佩刀近嬰醉且瞑燕指巾令其妻取妻取刀授燕燕熟視斷其妻頸遂持巾去明旦嬰起見妻殺死愕然欲出自白嬰鄰以爲真嬰殺留縛之趣告妻黨皆來曰常嫉毆吾女乃誣以過失今復賊殺之矣安得他殺事即其他殺而安得獨存耶共持嬰且百餘笞遂不能言官家收繫殺人罪莫有辨者强伏其辜司法官小吏持朴者數十人將嬰就市看者圍面千餘人有一人排看者來呼曰且無令不辜者死吾竊其妻而又殺之當繫我吏執自言人乃燕也司法官與俱見賈公盡以狀對賈公以狀聞請歸其印以贖燕死上誼之下詔凡滑城死罪皆免亞之曰予尚太史言而又好敘誼事其賓黨耳目之所聞見而爲予道元和中外郎劉元鼎語予貞元中有馮燕事得傳焉嗚呼淫惑之心有甚水火可不畏哉然而燕殺不誼白不

亭眞古豪矣

張保皋鄭年傳　杜牧

新羅人張保皋鄭年者自其國來徐州爲軍中小將保皋年三十鄭年少十歲兄呼保皋俱善鬬戰騎而揮槍其本國與徐州無有能敵者年復能沒海履其地五十里不噎角其勇健保皋差不及年保皋以齒年以藝常齟齬不相下後保皋歸新羅謁其王曰遍中國以新羅人爲奴婢願得鎭清海使賊不得掠人西去其王與萬人如其請自大和後海上無鬻新羅人者保皋既貴於其國年錯寞去職饑寒在泗之漣水縣一日言於漣水戍將馮元規曰年欲東歸乞食於張保皋元規曰爾與保皋所挾何如柰何去取死其手年曰饑寒死不如兵死快況死故鄉耶年遂去至謁保皋保皋飲之極歡飲未卒其國使至大臣殺其王國亂無主保皋遂分兵五千人與年持年泣曰非子不能平禍難年至其國誅反者立王以報王遂徵保皋爲相以年代保皋天寶末安祿山亂朔方節

度使安思順以祿山從弟賜死詔郭汾陽代之後旬日復詔李臨淮持節分朔方半兵東出趙魏當思順時汾陽臨淮俱爲牙門都將將萬人不相能雖同盤飲食常睇相視不交一言及汾陽代思順臨淮欲亡去計未決詔至分汾陽兵東討臨淮入請曰一死固甘乞免妻子汾陽趨下持手上堂偶坐曰今國亂主遷非公不能東伐豈懷私忿時耶悉召軍吏出詔書讀之如詔約束及別執手泣涕相勉以忠義訖平劇盜實二公之力知其心不叛知其材可任然後心不疑兵可分平生積忿知其心難也忿必見短知其材益難也此保皋與汾陽之賢等耳年投保皋必曰彼貴我賤我降下之不宜以舊忿殺我保皋果不殺此亦人之常情也臨淮分兵詔至請死於汾陽此亦人之常情也保皋任年事出於己年且寒饑易爲感動汾陽臨淮平生抗立臨淮之命出於天子摧於保皋汾陽爲優此乃聖賢遲疑成敗之際也彼無他也仁義之心與雜情並植雜情勝則仁義滅仁義勝則雜情銷彼二人仁義之心既

勝復資之以明故卒成功世稱周召爲百代人師周公擁孺子而召公疑之以周公之聖召公之賢少事文王老佐武王能平天下周公之心召公且不知之苟有仁義之心不資以明雖召公尚爾況其下哉語曰國有一人其國不亡夫亡國非無人也丁其亡時賢人不用苟能用之一人足矣

竇烈女傳

烈女姓竇氏小字桂娘父良建中初爲汴州戶曹掾桂娘美顏色讀書甚有文李希烈破汴州使甲士至良門取桂娘以去將出門顧其父曰愼無戚必能滅賊使大人取富貴於天子桂娘旣以才色在希烈側復能巧曲取信凡希烈之密雖妻子不知者悉皆得聞希烈歸蔡州桂娘謂希烈曰忠而勇一軍莫如陳先奇其妻竇氏先奇寵且信之願得相往來以姊妹敘齒因徐說之使堅先奇之心希烈然之桂娘因以姊事先奇妻嘗問曰爲賊凶殘不道遲晚必敗姊宜早圖遺種之地先奇妻然之興元元年四月希烈暴

死其子不發喪欲盡誅老將校以卑少者代之計未決有獻含桃者桂娘白希烈子請分遺先奇妻且以示無事於外因爲蠟帛書曰前日已死殯在後堂欲誅大臣須自爲計以朱染帛丸如含桃先奇發丸見之言於薛育育曰兩日希烈稱疾但怪樂曲雜發晝夜不絕此乃有謀未定示暇于外事不疑矣明日先奇薛育各以所部兵譟於牙門請見希烈希烈子迫出拜曰願去僞號一如李納先奇曰爾父悖逆天子有命因斬希烈及妻子函七首以獻暴其尸於市後兩月吳少誠殺先奇知桂娘謀因亦殺之請試論之希烈負桂娘者但劫之耳希烈僭而桂娘妃復寵信之於女子心始終希烈可也此誠知所去所就逆順輕重之理明也能得希烈權也姊先奇妻智也終能滅賊不顧其私烈也六尺男子有祿位者當希烈叛與之上下者衆矣豈才力不足耶蓋義理苟至雖一女子可以有成大和元年予客遊涔陽路出荆州松滋縣攝令王淇爲某言桂娘事淇年十一歲能念五經舉童子及第時年七十

五倘可日記千言嘗建中亂希烈與李納田悅朱泚朱滔等僭詔書檄爭戰勝敗地名人名悉能記之聽說如一日前言實良出於王氏實淇之堂姑子也

趙女傳　皮日休

趙氏女山陽之鹽山人其父貿鹽盜出其息不納有司賦官捕得法當死籌已伏就死有日矣趙氏女求見鹽鐵官泣愬於庭曰某七歲而母亡蒙父私鹽官利衣食某身爲生厚矣今父罪根露某當隨坐法若不可官能原乎原之不能請隨坐之法官清河崔璩義之因爲減死論趙氏大泣曰某之身前則父所育今則官所賜願去髮學釋氏以報官德自以女子之言難信因出利刃於懷截其耳以盟必然崔益義之竟全其父命趙氏侍父刑疾愈因決歸浮屠氏舍日休曰古之救危拯禍必先示信至夫家全國完則隨而乖其盟如趙氏一乳臭女子耳繼死請父命孝也自刑以盟言信也秉孝植性高蹈於世潔乎瑾瑜不足爲其貞芬乎茝蘭不足爲其秀與夫救危拯禍者遠矣今之士見難不立其節見安不償其信者其趙女之刑人乎噫後之修女史者幸無忘耶

書李賀小傳後　陸龜蒙

玉溪生傳李賀字長吉常時旦日出遊從小奚奴騎駏驉背一古破錦囊遇有所得卽書投囊中暮歸足成其文予爲兒時在溧陽聞白頭書佐言孟東野貞元中以前秀才家貧受溧陽尉溧陽昔爲平陵縣南五里有投金瀨瀨南八里許道東有故平陵城周千餘步基址坡陁裁高三四尺而草木勢甚盛率多大櫟合數十抱藂篠蒙翳如塢如洞地窪下積水沮洳深處可活魚鼈輩大抵幽邃岑寂氣候古澹可喜除里民樵罩外無入者東野得之忘歸或比日或間日乘驢領小吏經驀投金渚一往至則蔭大櫟隱巖篠坐於積水之傍苦吟到日西而還爾後衮衮去曹務多弛廢令季操卞急不佳東野之爲立白上府請以假尉代東野分其俸以給之東野竟以窮去吾聞淫畋漁者謂之暴天物天物既不可暴又

文粹補遺卷第二十六終

是哉

致罰耶長吉天東野窮王後生官不挂朝籍而死正坐是故正坐

可挾纖刻削露其情狀乎使自前朝至於補死不能隱伏天能不